$15,00
P/P4

por [illegible]

en este Bs As donde

juntamos esperanzas

Afectuosamente

[illegible]

DESPUÉS DEL DÍA DE FIESTA

GRISELDA GAMBARO

DESPUÉS DEL DÍA DE FIESTA

Cubierta: Fortunato Lacámera, *De mi estudio*
c. 1940. Colección privada

Primera edición: agosto 1994

Hecho el depósito que indica la ley 11.723
ISBN 950-731-093-2

Impreso en la Argentina

Dulce y clara es la noche, y sin viento...

Salió a la calle y miró el panorama; eran las doce de la noche y, salvo algunos perros que ladraban, gritos distantes de borrachos, había silencio. Alzó los ojos sobrevolando las casas, las copas quietas de unos árboles torcidos, *dulce y clara es la noche, y sin viento,* y se sorprendió: casi incautamente su lengua había pronunciado esas palabras que le hacían descubrir la esencia de la noche. Hasta ese momento, la noche había sido semejante a otras miles transcurridas sin pena ni gloria en ese barrio, hacía calor y no se movía una hoja. Durante el día las conversaciones se habían reducido, por suerte, a la misma verdad: qué calor, no se aguanta. Pero no siempre compartir la misma verdad trae concordia. Había mucha irritabilidad en el ambiente, los hombres pegaban a las mujeres, las mujeres a sus niños y los niños cascoteaban a los perros.

Ahogándose en su pieza, sin lograr dormir entre esas cuatro paredes de solidez agobiante, el cuerpo transpirado por el colchón que ardía como estufa a leña, la cabeza abombada, Tristán había salido a la puerta de calle para respirar un poco de fresco. Y no había conseguido alivio hasta que, al mismo tiempo, había alzado los ojos por encima de las casas hacia el cielo estrellado y repetido la frase, *Dulce y clara es la noche, y sin viento...* ¿Era él quien hablaba? Era él, era su voz, pero la frase venía de muy lejos, como si alguien se la dictara a través de inmensos espacios abiertos al sonido. La noche había estado ahí, noche cualquiera, sofocante, de pesadez casi brutal, y sólo ahora se le presentaba dulce y clara, y sin viento... Había padecido por la brisa esquiva y ahora sin viento congratulaba y consagraba la quietud. Así empezaban los poetas a escribir sus poemas, mirando el cielo estrellado y cambiándolo en palabras. Y las palabras transformaban la noche, noche transfigurada. ¿Sería poeta? ¡Y sin saberlo! *Dulce y clara es la noche, y sin viento...*

Oyó un ruido, sintió el roce de una forma imprecisa; a regañadientes abandonó el cielo estrellado, la noche deleitosa; miró hacia abajo. Vio un bulto más oscuro que la oscuridad. Estaba muy cerca, sobrepasando apenas la altura de sus tobillos. El bulto sacó una mano y le aferró brevemente la pierna. Era un niño, desnudo, pelo moteado, ojos grandes con mucho blanco y gruesos labios como belfos. Oh, Oh, gritó Tristán, olvidándose de la noche dulce y clara. ¡Qué barriga! ¿Cómo ese cuerpo minúsculo había producido semejante excrecencia? El Oh, Oh, asustó al chico, que le mostró los ojos llenos de pánico y al cerrarlos, un instante después, fue como si se apagara una linterna dejando la noche a oscuras. Desapareció con una velocidad impredecible, rodó apoyándose en la barriga. Tristán intentó rastrearlo; forzando los ojos escrutó la proximidad del suelo, caminó vanamente hacia la esquina, pero quizá lo ocultaba una sombra, aunque no había sombras tan negras como el negro de esa piel. Hurgó entre las que proyectaban un tronco, un montón de cascotes, una lata, pero no encontró más que aire pegajoso. Había pasado todo, presencia y desaparición, con tal celeridad que creyó haberlo soñado. Aunque se exprimiera los sesos, no tenía explicación para un negrito desnudo con una enorme barriga rondando y rodando por el barrio; conocía a todo el mundo, niños incluidos y aun viejos que no se movían de la cama. Soñé, se dijo, como una manera elegante de salir de la incertidumbre, y queriendo recuperar la calma intensa y sin sofoco, intentó repetir la frase sobre la noche. Pero la había olvidado o alguien ya no se la susurraba.

Al amanecer, en el trayecto hacia la parada del ómnibus que lo conduciría al trabajo, Tristán los vio. Parecían seres extraterrestres, no porque hubieran descendido de una cápsula con trajes metalizados, antenas sobre la frente, inteligencia sobrenatural y actitud de conquista, nada de eso, si habían descendido de una cápsula lo habían hecho arrojados como descarga de basura o cascotes de un camión. ¿A qué hora?: imprecisa; la irrupción se había producido quizás antes de la medianoche, que la frase de Tristán había vuelto momentáneamente deleitosa, quizás después. En realidad, lo que los hacía extraterrestres era el aire azorado, como si ellos mismos se descubrieran caídos en un territorio que les resultara completamente ajeno y no supieran cuál debía ser el primer gesto en ese territorio, qué actitud mínima y cotidiana podía encerrar peligro o generar benevolencia. En la duda, se mantenían en círculo, tensos y apretados unos contra otros. Eran flacos, elegantes, aunque la vestimenta se reducía a paños breves y gastados. En los niños, ni eso, una desnudez perfecta, inocente, que Tristán adjudicó, con no menos inocencia, a esos días de canícula, sin inferir que en invierno iba a constituir un problema. A unos pasos, una cabra esquelética de pelo amarillento, hundía el morro en la tierra y extraía raíces, algunos yuyos. En el apretujamiento, Tristán creyó localizar al negrito de la noche pasada, estaba colgado del cuello de la madre y succionaba con insistencia y casi furia del pezón de un enorme seno colgante. Había muchos chicos, todos con buena panza y comían unas cañas cuyo bagazo escupían al suelo. No eran extraterrestres porque una de las mujeres, con un impulso muy humano, golpeó en la cabeza al chico que tenía próximo y cuya escupida había embocado en un envoltorio que ella protegía entre sus pies. Envoltorios había en cantidad, eran de tela tejida y se agregaban a otras pertenencias, cestos, cacharros, cucharones de madera. Cuando los negros notaron la presencia de Tristán, la piel se les puso grisácea de palidez, apretaron el círculo y los chicos dejaron de masticar por un instante. Luego se tranquilizaron súbitamente; como Tristán les dirigiera una sonrisa desconcertada pero amistosa, recuperaron el color original, contestaron con enérgicos movimientos de cabeza y sonrisas más amplias. Un extraño que les sonreía los había iniciado en los gestos y ya no temían moverse.

¿Y éstos?, se preguntó Tristán, dudando en preguntarles si necesitaban algo. Bien lo veía, éstos necesitaban todo, y entonces se llamó a prudencia y siguió de largo. Sólo se puede dar lo que se tiene, consideró disculpándose.

Cuando ya los había traspasado y se alejaba, los oyó parlotear ruidosamente, todos al mismo tiempo, una lengua que no entendía. Se volvió, y los negros, que lo estaban mirando, todos al mismo tiempo cesaron de hablar, oscilaron de nuevo las cabezas con movimientos voluntariosos y sonrieron. La cabra se interesó fugazmente, luego barrió la tierra con los largos pelos de la mandíbula y arrancó otra raíz.

Tristán se acercó, ¿Necesitan algo? Un hombre viejo, más alto que los otros, flaco como una estaca nudosa, que por alto o por viejo debía llevar la voz cantante, le dirigió unas palabras con el mismo resultado para Tristán que si hablara en japonés, sonaba a incomprensible. Las repitió dos o tres veces con mayor énfasis, y luego asomó una lengua acartonada entre los labios agrietados y los recorrió sin que quedara un atisbo de humedad. Tristán advirtió su sed, que no era una sed corriente sino inmensa, decía una larga marcha sobre tierra resquebrajada, bajo un sol de fuego. Venga, dijo, pero para el hombre fue lo mismo que para Tristán: no entendió, permaneció quieto, abriendo los ojos con mucho blanco; adelantó después el cogote. Entonces Tristán asió precavidamente el brazo flaco y nudoso, y esperó la reacción. El hombre observó la mano blanca posada sobre su brazo, no lo asustó el evidente contraste, quizá porque en resumidas cuentas era carne sobre carne, contacto sin hostilidad. Asintió a la expectativa. Tristán acentuó la presión sobre el brazo y retrocedió en su camino llevando al negro con él. Pensando en los labios resecos, lo guió hasta la canilla que los vecinos más pobres habían conectado ilegalmente con un caño subterráneo que conducía el agua a otro barrio. Sin explicarse la razón, sintiéndose tal vez como un rey exhibiendo sus dominios, Tristán le señaló más lejos una laguna que había brotado en el descampado y que podría haber sido un hermoso lugar si no fuera por la basura de los bordes y el entrevero de malezas. El contenido mismo se enturbiaba por zonas, como si la laguna recibiera afluentes del Riachuelo o los desagües de una fábrica de veneno. La expresión paradójicamente en blanco, el negro no había reaccionado ante la canilla, pero al descubrir la laguna, que engañaba a esa hora como agua transparente, sonrió con alegría y quiso adelantarse. Voy, voy, podía significar lo que mascullaba con ruido de guijarros entrechocándose. Tristán lo retuvo, abrió y cerró el grifo en demostración de lo que el grifo proveía y anulaba con simple torsión de dedos, lo volvió a abrir en un chorro generoso y el negro se zambulló, bebió como bestia sedienta. Se inclinó después hacia Tristán, torciendo el lomo en un gesto agradecido, y en seguida corrió a buscar a su gente. Todos se abalanzaron, con gritos de felicidad incrédula, y alborotaron llenándose las barrigas de agua.

Tristán los dejó y reemprendió al trote, urgido por la demora, su camino hacia la parada del ómnibus. No pudo observar así que cada uno de los negros, chicos y grandes, ya saciados de la sed, aguardaba su turno para abrir y cerrar la canilla, lanzando en cada ocasión que fluía el agua los mismos gritos de felicidad incrédula. El negro alto y viejo les señaló la laguna y ahí resonó un coro de exclamaciones admirativas, de interjecciones por necesidades inverosímilmente colmadas; dibujaron una coreografía de pies ansiosos, de brazos en movimiento apuntando al paraíso; se dirigieron en tropel a buscar sus atados tejidos, sus cacharros, cestos y cucharones, y en dirección a la laguna se fueron.

Cuando Tristán regresó del trabajo al atardecer, los negros habían construido, con la celeridad que da mejorar de estado, una gran choza junto a sus bordes. Demasiado cerca, para gusto de Tristán, porque cuando había lluvias abundantes la laguna desbordaba. Pero ya estaba hecho, ¿y cómo advertirles con esos problemas de lenguaje? Delante de la choza ardía un fuego, y la madre del negrito, en cuclillas, el negrito dormido en un saco cargado a su espalda, revolvía en un cacharro una mezcla que debía ser comida. Tienen casa y comida, pensó Tristán en veta cínica, la vida les sonríe. La mujer lo reconoció desde lejos, se incorporó rápidamente, con un gesto tan brusco que el negrito se despertó y comenzó a berrear, y agitó los brazos en saludo, sonriendo. Gritó algo en su lengua incomprensible, y entonces, de la pequeña entrada de la choza salieron los negros uno tras otro, alzaron los brazos hacia adelante en dirección a Tristán y luego los recogieron señalando el cacharro sobre el fuego en cordial, amistosa invitación.

Entonces no soñé, pensó Tristán mientras daba un paseo después de comer en su casa para quitarse el gusto de la comida de los negros, de contenido indescifrable en su frugalidad, pero tan sazonada en picantes que al primer bocado la garganta se le había transformado en hoguera. Entonces no soñé, concluyó en relación a su incertidumbre de la noche pasada, cuando la desaparición inexplicable del negrito le había hecho adjudicar al sueño lo que pertenecía a la realidad. El aire, que presagiaba tormenta, levantaba remolinos de tierra; alzó los ojos hacia el cielo que esa noche no era estrellado sino oscuro y sin luna. Un eco le golpeó la memoria, como ondas que se acercan a una playa, siguió caminando y esperó que alguien le susurrara en el oído. Alguien le susurró, ¿o era él mismo? Sus pulmones se abrieron, su lengua se liberó de la hinchazón del picante, se volvió flexible y dócil. Sonó grave su voz, magnífica en modulaciones que nunca hubiera supuesto que existían y menos en su garganta: *Dulce y clara es la noche, y sin viento...* Y entonces se produjo el milagro: se asentó la tierra, asomó la luna en su diáfana luz y la noche fue increíblemente dulce y clara, y sin viento...

Si supiera más, pensó, recordando a los negros, de cuerpos elegantes pero alterados por placas escamosas, bocas de hermosos dientes en los jóvenes, prontamente perdidos...

Si supiera más, deseó intensamente caminando bajo ese cielo que fulguraba, barrida la amenaza de tormenta, el polvo dormido bajo sus pasos. Si alguien le dictara otras frases o se le ocurrieran a él porque era poeta (¡y sin saberlo!), y al dulce y clara es la noche se sucedieran casas de material con luz y agua, sembradíos vecinos, lagos con peces... Después de ese comienzo dulce y claro, el resto del poema sólo podría prometer ventura. Y al decirlo, la choza donde se apretujaban los negros, y por qué no, también los tugurios de chapa y madera, el barrio más residencial de casas de ladrillos nunca terminadas, se convertirían en un paisaje amable donde vivir no fuera limosna ni castigo. Debería decir constantemente el poema o al menos sostenerlo en la memoria, porque si lo borraba, amnésico o mudo, caería la magia, y la choza, la laguna putrefacta, los tugurios de chapa y madera, y las casas nunca terminadas, reaparecerían. Poco costo, comparando los beneficios, sería renunciar a las palabras de costumbre para rescatar ésas, las privilegiadas por la gracia que todos entenderían, saciados y con techo; incluso podría sostener interminables conversaciones en las que no habría temas imposibles, hasta los más intrincados, la manera de mirar los árboles o los gustos del pan. Estaba seguro de que esas únicas palabras serían mejores que las usadas diariamente, caldo de confusión o desencuentro, de precariedad o desamparo. Pero ahora, porque ignoraba el resto, sólo tenía poder sobre la noche, y entonces, sin cambio de forma y de sentido, todo seguía igual, salvo la noche.

Venga a ver, Don.

El acento no era asombrado sino quejoso. Venga a ver, insistía el vecino con el tono de quien padece una desgracia inmerecida. Tristán lo conocía del barrio y sabía que de esa boca sólo podían surgir reclamaciones variadas. Sin concederse un respiro, exponía, dolorosa y coléricamente, sus desventuras: el trabajo duro y escaso, la falta de solidaridad del mundo entero, especialmente de las mujeres que lo tomaban por tonto, el insomnio de algunas noches, sus problemas digestivos y hasta la fatalidad con las plantas de tomates que se le abichaban durante el verano. La vida lo había castigado mucho y se lamentaba sin pudor. Pudor, ¿por qué? Lo menos que una criatura humana puede hacer es quejarse. Tristán no lo rehuía como los vecinos del barrio, en principio porque no era de esos orgullosos que pensaban que las frustraciones hay que tragárselas. Los que tenían fortaleza sí, pero a los otros, que se habían quedado niños de teta, ¿cómo exigirles contención? Tristán oía bostezando de tedio, fingía complicidad aunque lo tenía harto, y seguía su camino. El otro apenas si intentaba retenerlo; se sentía contento, espiritualmente menos solo en sus desgracias después de haber aplastado a un semejante.

Venga a ver, Don. Se me pegaron como vinchucas, y por un acto simpático, el Quejoso se rascaba el brazo con furia mientras señalaba con la cabeza un descampado que nunca había poseído laguna y que se abría frente a su casa, extendiéndose sin interrupción hasta el horizonte, reseco, alto de cizaña y cardos, a veces depósito de cosas que la gente no sabía o no le importaba dónde tirar: neumáticos, latas, escombro, bolsas y botellas de plástico. ¿Por qué me pasa esto a mí?, preguntó, con el tono de quien sufre injustamente. Le gustaba en las mañanas salir con el mate en la mano y sentirse dueño, por pura soledad, de todos esos basurales. Y ahora, en cambio, la soledad se había ido y la tierra tenía otro dueño. No les bastó la laguna, rezongó plañidero. Son otros, más bajitos, adujo Tristán, porque no quería que los de la laguna fueran culpados de invasión descontrolada. Altos o bajos, ¿qué cambia?, dijo el Quejoso, lanzando una escupida de rencor. Son todos negros. Ya los de la laguna habían provocado su desconfianza, en realidad una animadversión brutal, pero ocupaban una zona apartada y a las primeras lluvias copiosas, viento del sur y crecidas subterráneas de la laguna, la inundación se los llevaría, con choza y todo. Chicos y viejos, cestos, cacharros, cucharones de madera y hasta la cabra de pelaje amarillento nadarían en la corriente que quizá los devolvería a sus lares, de donde nunca deberían haber salido. ¿Por qué me cae esta condena?, preguntó, refiriéndose a los bajitos que le planteaban un problema más cercano. Si los negros altos eran descomedidos, éstos, los bajitos, los superaban: habían actuado pésimamente, sin ideas de las distancias o del abuso; en silencio —porque no se había despertado— habían llegado durante la noche, y en silencio, separada apenas por el ancho de la calle, habían levantado una choza frente a su casa. El descampado era enorme y por lo menos, para atemperar la invasión, hubieran podido ubicarse bien lejos, allá donde se perdía en el río. Pero no: agraviando justo enfrente. En las mañanas, cuando asomaría la cabeza con el mate en la mano, se toparía con esa choza sin elegancia, construida con dos chapas, cañas y unas maderas podridas, de techo cónico y una abertura por donde había que entrar agachado. Del interior de la choza partía un murmullo confuso del que emergía a veces la repetición de una palabra tan incomprensible como el resto.

Ni Mandinga los entiende, rezongó el Quejoso indignado.

Un chico negro betún, desnudo a pesar del frío que había traído la tormenta, cuyo desencadenamiento se había producido cuando Tristán olvidó la frase que la suspendía, jugaba con la tierra frente a la choza. Como los negritos del otro clan, tenía una gran panza de donde sobresalía el nudo sin arte del ombligo. De vez en cuando se estremecía, tiritando, los gruesos labios rígidos por el frío. Tristán no lo pensó mucho, comenzó a quitarse el pulóver que como de costumbre se le atascó en la cabeza; lo había comprado en una mesa de saldos y quien atado a su máquina había confeccionado el pulóver para un señor de dimensiones normales, a último momento, por odio de clase o capricho, había cosido apretadamente el cuello como si debiera usarlo un alfeñique. El Quejoso remató los esfuerzos de Tristán con un tirón violento y se quedó con el pulóver entre las manos; no lo devolvió, emprendió una carrerita hacia enfrente y desde el medio de la calle se lo arrojó al chico, quien dejó de jugar mirando esa forma que le venía al encuentro. Cuando cayó a tierra, dio un salto al costado. Ponételo, idiota, gritó el Quejoso y en dos zancadas estuvo junto al chico, que comenzó a chillar desesperado, y le calzó el pulóver por la cabeza, y el pulóver lo cubrió por entero, el borde de la pollerita ocultándole los pies y sobrando para rozar el suelo. El Quejoso rió, Cómo vas a ir mostrando las partes. La risa tranquilizó al negrito, y también a una mujer que se había asomado alarmada por la entrada minúscula. Al negrito se le vio el blanco del ojo, todavía sobresaltado, pero se apretó el pulóver contra el cuerpo buscando el calor. Para que pudiera manejar las manos ocultas bajo cantidades de lana, el Quejoso le dobló las mangas en varios pliegues hasta más arriba del codo; las sostuvo en su lugar con unos piolines que sacó del bolsillo del pantalón. De pronto, se inclinó hacia el negrito con una sorpresa absorta. Llamó a Tristán. Mire, Don. Tomó la mano del chico y mostró la palma a Tristán. Era casi blanca. Es negro en serio, dijo.

¿Y qué pretendía? ¿Que fuera en broma? Tristán observó y se despidió rápidamente, sentía frío bajo la tela ligera de la camisa. Quédese, dijo el Quejoso, cruzando de nuevo la calle hacia su casa, lamentando en voz alta, como si el pulóver le perteneciera, que Tristán se lo hubiera regalado a esos negros. El rapto de simpatía le había durado poco, o quizá lo había cortado de raíz la visión de la palma blanquecina del negrito. Sí, sí, dijo Tristán y se alejó calle abajo. Ya atardecía y deseaba que volviera la noche y que otra vez su boca pronunciara esas palabras que la transfiguraban. Pero nunca tenía seguridad, la frase iba y venía, y aunque tan simple, en ocasiones no podía recordarla.

Entró a su pieza y descubrió a alguien sentado en la penumbra. No cerraba con llave y la costumbre le había deparado ingratas sorpresas en el pasado, huellas de intrusos e incluso presencia, jamás señores del hampa sino rateros menesterosos, seres para compadecer quienes, sin embargo, por asalto de pánico o desprecio, podían no compadecerse de la vida ajena segándola en un santiamén. Tengo que cerrar, se aconsejaba Tristán prudentemente, pueden robarme todo, pero la costumbre del olvido era más fuerte. En los últimos tiempos, los ladrones se salteaban la casa, como si se hubiera corrido la voz sobre las fruslerías que podrían encontrar allí, nada para vender, poco para aprovechar, y Tristán abría la puerta no ya con ánimo precavido sino sereno. Por otra parte, si el que había entrado quería robarle, no estaría sentado, una pierna cruzada sobre la otra; estaría corriendo por la calle, con las sábanas de la cama o los platos de la cocina que generalmente quedaban sucios en la pileta hasta que en un momento de inspiración, Tristán se decidía a lavarlos.

Repuesto de la primera sorpresa, Tristán observó en la penumbra que el visitante, cuya pierna derecha cruzada sobre la izquierda apantallaba el aire con un movimiento de vaivén, era enclenque, vestía levita de cuello alto. Encendió la luz y se enfrentó con la cara más triste que había visto. Se llevó la mano a la boca con una consternación penosa. El Quejoso se lamentaba constantemente de sus desventuras, pero nada que ver: las desventuras no le rozaban la piel, no le hundían los ojos ni le quitaban el color saludable de las mejillas. Eran verdades a medias o directamente mentiras, se daba cuenta ahora, escozores de vanidad porque el cuerpo no las expresaba. En cambio, este rostro, ¡Dios mío! Ojos inteligentes y melancólicos en un rostro pálido y sufrido, donde se leían todos los dolores del universo, pasados y presentes. Y Tristán cortó ahí porque no quería pensar en los futuros, que también estaban en esos ojos, aunque no quisiera verlos. Sintió una sombra descender sobre él, ¿qué era?, piedad, también una solidaria tristeza. El de la levita se levantó, se sentó, estiró un brazo hacia el costado, lo recogió y volvió a pararse. Tristán le pidió que se sentara y el de la levita obedeció, moviéndose tanto sobre la silla que ésta parecía animada. Las patas producían un toc-toc desparejo al golpear sobre el piso e insensiblemente lo conducían por distintos lugares: había estado sentado frente a Tristán y ahora se encontraba próximo a una de las paredes. En un giro de esa especie de danza mostró una espalda de adolescente con huesos frágiles, marcados omóplatos. ¿En qué puedo servirlo?, preguntó Tristán gentilmente. Busco a mi hermana; ¿y por qué aquí?, se interrogó Tristán. El otro tenía una voz educada, con un fuerte acento extranjero. Al hablar se incorporó, y ante el gesto de Tristán, que le señaló la silla, volvió a sentarse. No se quedaba quieto un momento, con lo que contrariaba la esencia misma de la melancolía, que pide actitudes graves y reposadas. Cómo la melancolía podía vivir con tanto movimiento, en un cuerpo tan agitado, y sin embargo vivía. En dos o tres ocasiones, Tristán tendió las manos para sujetarlo, pero a tiempo percibió que podía resultar un gesto de confianza ofensiva. No lo deseaba: quería mantenerse a la altura de su sufrido, nervioso visitante que, era evidente por la voz, el traje, las manos delicadas, no podía confundirse con cualquiera. Mentalmente, Tristán se aconsejó reserva y trató de mejorar las inflexiones bastardas de su voz, elegir las palabras, como hacía el otro en apariencia sin esfuerzo. Sin embargo, de golpe volaron sus intenciones de comportarse urbanamente y preguntó a quemarropa: ¿Cómo te llamás?, tuteándolo con un impulso que le dictaba el afecto. Giacomo. Giacomino, decidió Tristán. Le ofreció de beber, pero Giacomino no aceptó, y ya se paraba otra vez. Hablaron del tiempo, a Giacomo le gustaba el verano, cantaban las cigarras y le complacía oírlas a través de la ventana abierta; Tristán no prefería ninguna estación en particular, aunque ahora el verano también acaparaba sus preferencias; por más tórrido, algunas noches se transformaban en primaverales, llenas de una profunda dulzura que sosegaba al barrio entero. Suele pasar, dijo Giacomino, y no preguntó cómo para frustración de Tristán, que estaba dispuesto a confesar los cambios que ciertas palabras producían en el universo sin que la mayoría de los humanos lo percibiera. Comentaron luego los otoños e inviernos, las distintas clases de lluvia y temperaturas medias; los dos sentían flotar un vago aburrimiento, aunque Tristán juzgaba que, como acaban de conocerse, en una primera etapa quizá se imponía una conversación semejante. Tristán dijo que cuando había lluvias copiosas el barrio se inundaba y todo era un desastre. Los colchones se mojaban y la gente perdía sus gallinas en la corriente, los gatos se arracimaban en la copa de los árboles y maullaban desesperados de hambre, y continuó interesado en el tema, feliz de discurrir por fin sobre sucesos de importancia, cuando creyó que Giacomino bostezaba. No estaba del todo seguro, el alzamiento de la mano había sido tan brusco, la mano tocó la boca que se entreabrió ligeramente, se proyectó hacia las sienes, se trabó en la oreja, pero por las dudas Tristán se interrumpió, dejando que un gato, refugiado en un cajón, se ahogara arrastrado por el agua; de continuar hablando, se habría salvado porque unos chicos sobre el techo de una casa lo habían rescatado, enganchando el cajón mediante un palo de escoba. Le cedió la palabra a Giacomino, que comenzó a hablar de la luz del sol o de la luna contemplada desde lugares donde no se distinguía el origen de la luz y se explayó sobre el tema de una manera imposible de creer: las diferencias si uno veía la luz por un balcón, a través de persianas entreabiertas, de un vidrio coloreado, en el bosque, en un valle, del lado oscuro de un monte cuya cima se dora bajo los rayos últimos del sol. Y cómo la luz, según los lugares y los objetos, era rechazada, se confundía, se mezclaba con sombras y se volvía incierta, difusa, imperfecta, incompleta, fuera de lo ordinario, devenía vaguedad e incertidumbre, y cómo esta vaguedad e incertidumbre pedían de uno para advertirlas una atención extrema, y era gratísima esta observación porque permitía volar con la imaginación hasta aquello que no se ve, concediendo más placer que ver todo enteramente. Tristán oía con la vista clavada en el suelo para no marearse con los movimientos de Giacomino que acompañaban el discurso, ¿y cómo se podía prestar atención —inmovilidad en acecho de la mente dispuesta a abalanzarse sobre el objeto que la provoca— si uno se movía tanto? De pronto, Giacomino calló. Tristán trató de encontrar un tema distinto del que le escocía la lengua, pero no se le ocurrió ninguno. Cuando los silencios se prolongaron y la pierna de Giacomino se agitaba en el aire como pegando puntapiés, Tristán ahogó un ataque de bostezos, se dijo que ya conocía a Giacomino y sintiéndose autorizado a manifestar curiosidades que hasta entonces había reprimido, preguntó: ¿Y tu hermana? ¿Por qué la buscás aquí? ¿Paolina?, dijo Giacomino suspirando ligeramente mientras se balanceaba de adelante hacia atrás. La cara se le aflojó al nombrarla. ¿Sabés cómo la llamábamos? ¿Paolina?, apuntó Tristán. No, el abatino, así la llamábamos en la infancia, la perseguíamos con el nombre de cuarto en cuarto, a veces susurrado en la mesa. Y al notar la expresión en blanco de Tristán, explicó con una voz que se adensaba en el pasado y la nostalgia, El abatino significa el abate pequeño, el curita. Mi madre le cortaba los cabellos a ras y la vestía, a los siete años, con una sotana oscura larga hasta los pies. Ni una cinta, ni una puntilla. No era una mujer alegre, mi madre. Para fastidiar a Paolina, mi hermano y yo la rondábamos gritándole Don Paolo, ¡Don Paolo! Se ponía furiosa y en venganza, tierna venganza, ella me llamaba Giacomuccio, Muccio, Mucciaccio, Muccietto. Qué bien, aprobó Tristán cortésmente. Apagó la luz porque Giacomino torcía la boca en un festival de muecas, levantaba el pómulo derecho, bajaba el izquierdo, guiñaba los ojos y se los apretaba con el puño como ante un encandilamiento insoportable. Para no permanecer completamente a oscuras, Tristán fue hasta el patio y encendió una lamparita adosada a la pared, que proyectó una amarillenta penumbra a través de la puerta. Giacomino sonrió agradecido y siguió hablando mientras acariciaba con sus dedos largos, frágiles, el sombrero de felpa que temblaba sobre sus rodillas inquietas. ¿Me permitís?, dijo Tristán y se apropió del sombrero que varias veces había ido a parar al piso. Giacomino tuvo una reacción sobresaltada pero luego, al observar que Tristán lo depositaba cuidadosamente sobre la cama, se tranquilizó dirigiéndole una mirada afectuosa, al sombrero. Tristán volvió a su lugar junto a la mesa, colocó su rostro en el hueco de las palmas y escuchó. No era una historia feliz la que contaba Giacomino, aunque tampoco catastrófica. Al rato, Tristán se preguntó si Giacomino no sería uno de ésos que se desvían por caminos laterales y nunca atacan el punto principal porque se olvidó de la hermana, que a Tristán era lo que más le interesaba por el momento. Contó con esa cadencia blanda donde ocasionalmente desaparecían las eses, que a los veintiún años había intentado escaparse de su casa. ¿Escaparse? ¿A esa edad? ¿No era un poco grande?, pensó Tristán sin expresar su observación en voz alta. Giacomino había escrito dos cartas de despedida: no pudo ser. Tenía un miedo horrendo, el ánimo tétrico mientras preparaba la huida, pero imposible aguantar más, se moría en su casa, seis meses, ¡seis meses!, gritó Giacomino, estuve con los ojos en compota. ¿Te pegaron?, preguntó Tristán. ¡El nervio óptico!, aclaró Giacomino, igualmente a los gritos, como si la desesperación que había padecido en esos meses estuviera fresca y cercana. No podía leer, no podía escribir, no encontraba a nadie con quien sostener una conversación inteligente, ¿y Paolina?, tuvo Tristán en la punta de la lengua; vagaba inútilmente por los corredores y habitaciones de la casa como cuerpo sin espacio, alma en pena. Algo cambió en él en esos meses, su fantasía estaba casi disecada, comenzó a perder esperanzas, a sentir la infelicidad cierta del mundo en lugar de conocerla. Entonces creyó que el único modo de quebrar ese aburrimiento, esa desesperación, sería mudarse a otra ciudad con un ambiente más amable que el de su casa y el de su pueblo, de nobles rancios y siervos toscos, campesinos brutales. Quería ser dueño de mí y de mis actos, libre en una ciudad libre. Había preparado en secreto sus cosas. ¿Y Paolina?, preguntó Tristán. Ella intuyó mis planes, dijo Giacomino con una sonrisa amarga, pero no me sirvió de mucho, su mirada me seguía sin abandonarme un minuto, como si yo estuviera dispuesto a ejecutar una revolución funesta.

Gestioné por carta el pasaporte. Tristán lo interrumpió. El pasaporte no se gestiona por carta, es un trámite personal, declaró solemnemente, y Giacomo respondió con impaciencia y hasta un toque de orgullo, que en su país esa era una modalidad corriente para personas notables.

Entre los múltiples descubrimientos e interrogaciones que el relato le suscitaba, Tristán se explicó así el acento extraño de Giacomino y por el otro lado se preguntó cómo, si era notable, había podido caer en la Argentina. Que se vinieran los negros podía comprenderlo, y hasta cierto punto, ¿pero Giacomino? ¿Y te viniste para acá?, reconoció con un dejo de lástima. No, no para aquí, cortó Giacomino. Y era patente su irritación. No traspasé la puerta de mi casa. Un imbécil, delegado del gobierno, encargado de los trámites, escribió inocentemente a su padre expresando sus deseos de buen viaje para el hijo. Ni soñar que carecía de autorización. ¿Mi hijo de viaje?, debió preguntarse maliciosamente su padre, con la carta en la mano. ¿Y cómo? Dio vuelta la fritura: ni lerdo ni perezoso escribió a su vez ordenando que el pasaporte le fuera enviado, así, dijo Giacomino, y chasqueó los dedos que después siguieron moviéndose por su cuenta, interminablemente, así me borró del mapa. Cualquier pedido de mi padre tenía fuerza de ley; era conde, dueño de un castillo. ¡No me digas!, se asombró Tristán con una burla afectuosa que Giacomino no advirtió. Cuando a los pocos días el padre recibió por correo el pasaporte de Giacomino, lo llamó a su presencia. ¿Cómo a su presencia?, preguntó Tristán. ¿No vivían en la misma casa? Giacomino lo horadó con una mirada de desdén. La casa era grande, si no fuera por los rezos y las comidas que inevitablemente nos congregaban, podíamos estar días sin encontrarnos, dijo, omitiendo el parecer de Paolina, quien aseguraba que la madre, como el Espíritu Santo, estaba en todas partes todo el tiempo. Cuando Giacomino acudió al escritorio, su padre sostenía el pasaporte, un tiempo infinito lo sostuvo en alto, como mostrándole su poder de enterarse de todo, y cuando ya no aguantaba más ese reproche, advertencia muda, lo colocó en un cajón que dejó abierto y concluyó diciéndole que podía obrar a voluntad, irse o quedarse. Comprensivo, comentó Tristán. ¿Comprensivo? ¡No lo conocías! Inteligente, astuto y sólo él mandaba. No quería adularse, decía, pero en realidad estaba convencido de que el deseo de ver obedecida su opinión no era orgullo sino, al contrario, amor de lo justo y verdadero. Podía ser el hombre más bondadoso de la tierra, ¡y por eso yo lo amaba!, gritó Giacomino con odio, pero la menor contrariedad lo volvía perverso; la razón le había sido otorgada por preferencia divina, los otros se equivocaban indefectiblemente, aun los más sabios y experimentados, yo pienso y veo mejor que éstos, y hacía un *deber* de esa razón para quitar el aire que los demás respiraban, sólo él era dueño de vivir con certidumbre, de saber lo bueno y lo malo, lo conveniente o nocivo, a qué debía llamarse pena y a qué alegría. Hasta los veinte años no atravesé solo la puerta de mi casa. Ja, ja, con niñera, bromeó Tristán. Sí, con niñera, gritó Giacomino, los ojos en llamas, con niñera, preceptor, sacerdote, sirvientes, hermanos, padre y madre. ¡Qué humillación! Después crecí, pero no obtuve permiso para marcharme, aunque se lo rogaba en cada oportunidad en que me reconocía algún mérito de inteligencia y se enorgullecía, no por mí, porque era *su* hijo, un apéndice de él mismo. No podía ser independiente: siempre era demasiado joven, demasiado incauto, excesivamente imaginativo y débil de salud, cargado de defectos; sólo el hogar me protegía del diablo que rondaba afuera para devorar mi alma, y ahora me lo concedía, el permiso, ¡ahora!, cuando me mostraba cuán inútil y torpe yo era, incapaz de maquinar algo con éxito. Así terminó todo, dijo Giacomino con la misma desesperanza que había sentido ese día. No me detuvo por la fuerza sino con ese gesto que me rebajaba, y mi madre me lo impidió con sus ruegos, que de otra manera..., dejó sin concluir Giacomino. Padres pulpos, dictaminó Tristán, y esto, más que el nervio óptico, era motivo suficiente para marcharse. Sin embargo, Giacomino se había quedado. Crecer es tarea penosa, siguió aguantando el imperio de la razón, el aire lúgubre de su casa, la religiosidad seca y sin afecto que lo emponzoñaba todo. La violencia de su padre, a veces silenciosa y cortés, a veces desatada. Cuando algo o alguien lo contrariaba, generalmente por inadvertencia y no por deseo, su padre sufría arrebatos de cólera, con ambas manos enganchaba el mantel de la mesa ya aparejada para comer, y lo atraía hacia sí. De pequeño, él corría a esconderse mientras oía el estrépito de la vajilla rota y de las fuentes de peltre o plata que se estrellaban dispersando la comida. Se ocultaba, humillado y sudoroso, tan herido en su orgullo que hubiera deseado morir. Su padre nunca dejaba de ser un señor mientras él dejaba siempre de ser lo que era, descendía más y más en la cuesta de la humillación o del miedo. Las sirvientas se precipitaban, recogían los destrozos del suelo con una prisa temerosa, como si hubieran sido ellas las que habían provocado esa hecatombe de vajilla, o como si esa hecatombe se debiera a la ira, no de un señor violento de provincias, sino de un dios que castigaba con magnificencia no importaban los motivos. Cuando a su padre se le pasaba la ira, confesaba humildemente que quería ser dócil, reprimirse y callarse, pero cómo podía si lo asistía la razón, el amor por lo justo y verdadero, de qué manera podía no asumirla si los otros se despeñaban en el error. Se arrepentía y se excusaba, y como en muchos, la excusa anulaba el arrepentimiento. La mesa aparejada nuevamente, llamaban a comer, se sentaban en los lugares habituales, mas rígidos, más secretos, y ante esa tribu que le rendía el silencio de la obediencia, del respeto total —no había diferencia si aparecían invitados: un sacerdote, un vecino de rango, algún pariente—, su padre se permitía una sonrisa, nunca irónica, a veces triste. Bajo pena de desencadenar la misma cólera, nadie debía acompañar esa sonrisa. ¿Ni tu vieja?, preguntó Tristán. Mi..., Giacomino vaciló y dijo con miramiento, mi madre era como él mismo, lo excedía en rigidez, ella no sonreía nunca, salvo... ¿Salvo?, preguntó Tristán. ¿Qué es lo que la ponía alegre? Giacomino tembló violentamente, se cubrió los ojos con la mano. No, no puedo decirlo, es demasiado horrible. ¡Qué familia!, pensó Tristán. Suerte que no tengo. ¿Qué cosa tan horrible le provocaría gracia a la señora, que Giacomino no se atrevía a decirlo? Insistió, pero Giacomino no se lo diría nunca, tanto espanto (y vergüenza) le producía lo que a la madre le aligeraba el ánimo. Sólo lo escribiría una noche a la luz de una vela, masticando chocolate quizás para atenuar la amargura, y la confesión quedaría entre sus papeles, guardados dentro de una caja de cartón. Por el momento, aprisionaba su congoja en relación a la madre como el más inviolable de sus secretos, y sin oír a Tristán, continuó con la obsesión del padre, a quien al menos podía rechazar. Ante esas cóleras, ultrajado, violado, así se sentía. Él no podía vivir con la violencia, y Tristán lo miró con interés. ¿Cómo hacía? Si uno no puede vivir con la violencia está sonado. Desvió la vista porque Giacomino se secaba las lágrimas, ¿o era sudor?, y para que se tranquilizara —cosa imposible— fue a la cocina, puso la pava al fuego y preparó el mate. Sorbió los primeros, fuertes y amargos. Dudaba en ofrecerle a Giacomino, que observaba como un extraño enfrentado a una costumbre de caníbales. No es para tanto, pensó Tristán, es sólo yerba, pasto con agua. ¿Querés?, dijo. Chupá. Era tan nervioso que Tristán temía que se ensartara la bombilla en el fondo de la garganta, se perforara la glotis. Giacomino tomó la calabaza, la sostuvo un momento calentándose las manos, y debió llamarse a control porque con un gesto preciso que Tristán aprobó, Así, así, acercó la bombilla a la boca. Al primer trago, Giacomino apartó el mate y estuvo a punto de escupir. Es muy amargo, se disculpó. Le pongo azúcar, dijo Tristán y castigó el mate echándole dos cucharadas colmadas. Sabe mejor, dijo Giacomino, sin pleno convencimiento. Se veía que era de naturaleza gentil, porque el mate no le gustaba, y sin embargo, aceptaba uno tras otro hasta que, finalmente, la bondad tuvo su premio, ya que los últimos, muy lavados y dulces, los sorbió con algo semejante al placer.

Durante la charla, Tristán se había visto obligado a relegar por fuerza a la hermana de Giacomino; ahora, con el respiro del mate, la intriga volvió a aguijonearlo, más insistente. ¿Por qué Giacomino la buscaba en su pieza? No, no aquí, la busco simplemente. Se quedó allá, en mi casa. En esa casa donde reír era pecado, había dicho Giacomino. ¿Por qué no raja? No puede.

Querer es poder, sentenció Tristán y Giacomino lo miró con sus ojos melancólicos y esbozó un gesto que decía no sabés nada.

No sé nada, querido Muccio. Te fuiste tan lejos que no sé si estás en Roma o en un mundo que ni siquiera oí nombrar. Tan lejos que a veces tengo la impresión de que te he perdido también en el tiempo. Como si te hubieras ido no a una ciudad distante sino a otra época que difícilmente puedo imaginar. Trato de no pensar en esto para no desesperarme. La geografía más distante todavía une a los seres que se quieren, pero que uno de ellos viva en un tiempo que el otro no puede imaginar, separa más que la muerte.

Esta tarde el cielo era extraordinariamente azul, con esa diafanidad que tiene después de la lluvia; hacia el lado del mar se amontonaban enormes nubes de bordes deshilachados, muy blancas. Elegí una nube más pequeña, pero igualmente esplendorosa, que se había aislado rodeada de todo ese azul transparente. Y pensé si en ese momento no la mirarías desde otro lugar, y sin saberlo, nuestras miradas estarían unidas allí. Nos veíamos más allá de la ausencia, como quien oye palabras sin ver la boca que las pronuncia. Llevados a ese tiempo de adolescencia, cuando nos acodábamos en la balaustrada del balcón, mirábamos juntos el pueblo odioso donde nacimos, y nuestras miradas se movían por los senderos y las piedras, hurtaban las matas rústicas de espinos, atravesaban el valle con la huella polvorienta de los carros. Podían todo nuestras miradas, Muccio, incluso concentrarse en un punto de luz para transformar en luciérnaga a un escarabajo o cascarudo huyendo entre las rocas; saltaban de la huella polvorienta al castaño que está a la entrada de Fermo y se enlazaban en el tronco, colmado de savia; descansaban en el hoyo húmedo bajo las hojas, protegiéndose con oscuridad, como quien desciende el párpado, cuando caían los erizos del fruto. Hasta las montañas fueron, tu mirada y la mía, Muccio, que venían de tan lejos, desde esa minúscula nube aislada en el azul transparente. Y en la montaña contemplamos a un pastor con sus ovejas, sentado friolentamente sobre una roca, su morral a la espalda —ya vacío de la hogaza de pan y sus dos pares de cebollas— que con expresión ausente aguardaba el crepúsculo. Mirábamos juntos todo esto, el pueblo odioso donde nacimos, y me llevabas después a ese lugar del mundo que ni siquiera oí nombrar. Y te agradecí que me quitaras la angustia de ignorar dónde y cómo se deslizaban tus días. Hay seres que transcurren sin arañar más que su pequeña parcela, sintiendo sólo lo que pasa entre cuatro paredes y viviendo el presente como una fragmentación donde no adviene sufrimiento, futuro ni muerte que los ataña, salvo la de ellos mismos y la de unas pocas criaturas cercanas. Seres de sufrimiento corto. No es justo, porque siempre sufriste tanto, Giacomino. Y te veía en ese mundo que ni siquiera oí nombrar, te veía, ¡increíblemente feliz, Giacomino! El sufrimiento te había abandonado, porque Dios es clemente y su clemencia te había trasladado a una tierra que podría llamar prodigiosa. Nunca vi ríos tan anchos, ni montañas tan altas ni campos tan fértiles. No eran nuestros campos abundantes en piedras y agotados de humus. Esa tierra te consideraba un hijo pródigo. Habías ganado en peso y caminabas erguido, serenamente, a pasos largos y... tenías bigote, Giacomuccio, ¡tenías bigote! Tu casa era grande, con balcones y enredaderas púrpuras, de flores en verano, de hojas en otoño. Cada mañana paseabas por los patios embaldosados donde la luz, nunca hiriente a través de vidrieras opacas de distintos colores, se tamizaba en combinaciones infinitas, devenía para tu placer vaguedad e incertidumbre. En ese país que ni siquiera oí nombrar, te trataban con miramiento, llevándote panes, vino, aceitunas, tomates. Las mujeres lavaban y cosían tu ropa, preparaban el café a tu gusto: fresco, cargado, espeso de azúcar. Te rodeaban amigos. Eran tan inteligentes que te sentías entre iguales, ¡te brillaban los ojos, Giacomuccio! Les hablabas de lo que nunca pudiste hablar aquí, en el pueblo, con los campesinos analfabetos ni con los letrados serviles que visitaban a nuestro padre. Contabas lo que leías, escribías y pensabas, y cuando te pusiste de pie —tu mirada miraba conmigo, pero también estabas allá, en ese mundo que ni siquiera oí nombrar—, una hoja en la mano, y comenzaste a leer, se produjo un gran silencio, revelador de una atención que nunca te habían concedido, salvo en esa tierra cuyos habitantes eran mejores, más sensibles e inteligentes que en tierra alguna. Tu voz iba más allá del cuarto, invadía la noche, que era dulce y clara, y los que pasaban por la calle se detenían y los que estaban trabajando abandonaban su tarea, en suspenso hacia esa voz, esas palabras que los acercaban a la belleza, que después de todo es lo que siempre buscamos. Cuando terminaste de leer, el silencio se hizo mayor, tan visible que se podía tocar, como la belleza que lo llenaba. Y desde aquí me apropié de tu sonrisa para no perderla nunca, porque finalmente apareció una sonrisa apenas insinuada en tu boca, ligera, inocente. Sabías lo que siempre supiste, sufrimiento, muerte, miseria, pero ya sin desamparo; una calma sobrenatural te reconciliaba con tu destino y podías aceptarlo, casi con alegría.

Madre estaba en el cuarto. Se mueve tan silenciosamente. Vestida de negro, la boca dura, enteramente fuerte e incorruptible. Quizá lo que pensó al verme inmóvil en la ventana porque vino hacia mí, miró lo que miraba (tu mirada se fue y la mía cayó a este lugar sombrío) y con un gesto de desdén y sospecha, cerró los batientes. Me señaló el bastidor con un bordado inconcluso, como si señalara mi destino. (Un destino con el que yo nunca podré reconciliarme, como harás vos con el tuyo, en ese mundo que ni siquiera oí nombrar.) Dios castiga a los perezosos, dijo. Cuando se fue, dejé pasar un tiempo y abrí nuevamente la ventana, apenas una hendija. La nube ya no estaba y comprendí que había vuelto a perderte.

Usted sabe. Para un argentino no hay nada mejor que otro argentino.

Tristán lo miró en blanco, los ojos vidriosos por el esfuerzo de comprender, y el Quejoso lo sacudió: ¿Qué dice? Estaban sentados sobre una tapia de medio metro de alto que el Quejoso había levantado en el frente de su casa para marcar el territorio, una necesidad de protección y afirmación de propiedad que no había experimentado antes, cuando el descampado se abría a los cuatro vientos. Tristán había pasado casualmente y el Quejoso lo había convidado con unos mates, caros los estaba pagando: no podía hurtar la respuesta. Tristán dijo cautamente: ¿Qué argentino? ¿Qué hace?, y rápido el Quejoso contestó: No importa lo que hace. Es argentino.

Tristán observó las manos poderosas del Quejoso, con dedos como mangos de martillo, y se rascó la cabeza. ¿Quién lo dijo? Perón, soltó el Quejoso con un acento arrogante que aplastaba la ignorancia, en particular la del babieca que preguntaba.

Ah, ese guacho, pensó Tristán. El Quejoso era argentino y él también. Quién podía desconocerlo si apenas abría la boca le salía el barrio, incluso con las casas y calles, las plantas de malvones en macetas y los perros vagabundos que husmeaban basura en las esquinas; las entonaciones hablaban de un pasado argentino, sin educación y pobreza, de una existencia compartida con los otros como un triste contagio. El Quejoso había nacido a orillas del Paraná y Tristán en La Boca, a orillas del Riachuelo, pero el río de ancha corriente donde el Quejoso había pescado de niño y el estancado que se asfixiaba soñando con aguas límpidas pertenecían a la misma tierra que los había visto nacer. En consecuencia, por todas estas razones, debían preferirse mutuamente, nadie mejor para el Quejoso que Tristán, y viceversa. La prueba: le estaba cebando mate. La verdad era de fierro. Pero a Tristán le costaba aceptarla. Miró las manos del Quejoso, curtidas por la cal, y sonrió estúpidamente. Silbó para ganar tiempo. Prefería al Quejoso cuando se lamentaba, pero una obsesión le había entrado en la mollera, distrayéndolo de la enumeración de sus pesares. ¿Quién es ése que se le metió en la pieza?, preguntó el Quejoso, que como era soltero y vivía solo, llevaba cuenta inexorable de la vida de los demás. No es argentino. ¿Habló con él?, preguntó Tristán, deplorando que el acento hubiera delatado a Giacomino. Construía bien las frases, pero las golpeaba suavemente, como si en el sonido le resultaran demasiado ásperas y secas, y debiera ablandarlas. No hablé, se le ve a la legua que no es argentino, dijo el Quejoso con una indignación latente. Llenó el mate sumido en sus pensamientos, y el agua rebalsó la calabaza quemándole la mano. Rezongó contra los negros, como si uno de ellos le hubiera empujado el brazo, y por suerte se olvidó de Giacomino. Sólo sirven para complicar la existencia. ¿Usted vio que empiezan a tomar mate? ¿Y por qué no?, dijo Tristán. ¡El mate es nuestro!, afirmó el Quejoso llenando uno, y apoyó la pava sobre la tapia con un golpe tan violento que le abolló el fondo. Puteó enardecido y Tristán le buscó espuma en la boca. ¿Adónde lo conduciría tanta furia? Cualquier nadería servía para atizarle el rencor. Un negrito, que arrastraba una madera atada con un piolín, los miraba desde enfrente, donde las chozas se habían multiplicado, formaban ya un caserío. Arrastrando la maderita, desembarazándola cuando se enredaba entre los yuyos, el negrito se fue acercando lentamente, quizá con la esperanza de que le regalaran algo. El Quejoso le dirigió una mirada inamistosa que debió haberlo detenido, y luego la amplió con odio hacia el conjunto de chozas, levantadas en lo que había sido descampado, fiesta perdida de pastos y matorrales. Había protestado ante los negros, qué creían, ¿que la tierra carecía de dueño?, pero en vano, lo miraron sin contestar, hundiendo la cabeza entre los hombros. Quizá no comprendieran las palabras del Quejoso, pero los ademanes eran claros. No habían desarmado las chozas, yéndose por donde habían venido, como les había exigido enconadamente; intimidados por la voz chirriante, la gesticulación, alguna pedrada, y a la vez firme y silenciosamente obstinados, habían seguido con sus quehaceres, zapando la tierra, arreglando los techos, cavando zanjas para que escurriera el agua de las lluvias. El agravio había hecho perder lamentos personales al Quejoso y lo había colmado de resentimiento generalizado. ¿Por qué deja que cualquiera se le meta en la pieza?, rezongó. Mire lo que me pasa a mí. Y ése que tiene en su pieza, ¿qué hace, de dónde vino?

Vende canillas, dijo Tristán para saciar la curiosidad del Quejoso, que no se dio por vencido. ¿Y usted lo cree? ¿Por qué no voy a creerlo?, contestó Tristán, tiene una valija llena de canillas, vástagos, cueritos. ¿Y para qué?, retrucó el Quejoso, ése era un trabajo para morirse de hambre, él nunca le compraría nada a un hombre con ese aspecto, ni un alfiler, ni un botón. ¡Canillas!, barbotó escupiendo un palo de yerba. A un tipo así, él lo echaría a patadas apenas tocara el timbre. ¿De dónde vino?, insistió. No se lo pregunté, dijo Tristán. No le confesó que él lo había invitado a quedarse, y menos en qué empleaba su tiempo Giacomino. Leía durante horas sin dejar de agitarse y le atiborraba la casa de papeles que cubría de arriba abajo con una letra del tamaño de las patas de mosca; cuando escribía parecía loco, hablaba solo y se le paraban los pelos. Tristán le había procurado el papel, una lapicera que Giacomino había observado con desconfianza al principio y luego aceptado como un invento milagroso, y finalmente, de la variedad de desechos en la puerta del supermercado, le había conseguido una gran caja de cartón para guardar los papeles. No es que a Tristán le importaran mucho, pero bien veía que Giacomino sufría cuando por inadvertencia se sentaba en una silla y se los arrugaba impiadosamente con el peso o les colocaba encima la pava con su contorno tiznado. Un grueso cuaderno, de tapas verdes, en el que también escribía Giacomino, no planteaba estos problemas, lo había traído de su casa y lo llevaba siempre con él, abultándole el bolsillo interior de la levita. Ahí, presumía Tristán, escribía otro tipo de cosas: veía una puesta de sol, se le dilataban de admiración los ojos glaucos tirando a celeste, y corría a anotarlo en su cuaderno, veía a dos mujeres conversando en la calle y quién sabe qué observaba de extraordinario porque inmediatamente se apresuraba con la misma ansiedad. Las mujeres, que habían hablado de lo caro que estaban los tomates, se iban a sus casas, pero quedaban fijadas en el cuaderno de Giacomino, donde quizá seguirían hablando de tomates con palabras ligeramente cambiadas, totalmente distintas; serían dos figuras particulares vestidas de particular manera, con gestos únicos y nunca repetidos, tal vez habrían reído y esa risa permanecería inmutable, siempre fresca y viva cuando ellas no serían más que cenizas, ni siquiera recuerdos. Tristán no sospechaba esto, respetaba en Giacomino reacciones y actitudes que no podía entender, abarcaba sus gestos inquietos, su búsqueda nerviosa del cuaderno en el bolsillo cuando algo lo impresionaba —y lo impresionaba todo—, y sentía hacia él afecto creciente, una ligera ironía por tanta incomprensible conmoción, el deseo y la necesidad de proteger esa existencia. Si la primera vez que había visto a los negros, le habían parecido extraterrestres por el aire azorado, Giacomino, por otras razones, también se lo había parecido aquella tarde, cuando lo descubrió sentado con las piernas cruzadas en la penumbra de su habitación: no era de esta tierra. Los negros habían aprendido a moverse después de su gesto amistoso conduciéndolos a la canilla que les saciaría la sed, pero Giacomino no aprendería nunca a saciarla. Nunca aprendería los modos correctos de este mundo. Tampoco podría decirse que los negros, cuyo desconcierto se había atemperado con el correr de los días, habían aprendido esos modos como para que les cambiara la existencia, pero tan siquiera, habían asumido el desamparo. Los guarecía como un techo. En cambio, Giacomino ni eso, tenía todavía menos aptitud, menos lugar; cada ínfima protección que se ganaba con mortificación y angustia, o que el azar le concedía, su alma —y su cuerpo— se la quitaban. Desde el primer instante, Tristán se había encadenado a él como a su alma gemela, un alma imposible que jamás podría tener, porque con esta alma suya, ignorante y pequeña, jamás alcanzaría a la otra. Un alma gemela es aquella que nos encadena por lo que no somos. Así es, dijo.

¡Claro que así es!, corroboró descaminado el Quejoso en voz muy alta, y Tristán despertó al sonido de esa voz que había oído zumbar vagamente como un fondo irritante. No se enoje, dijo. Levantó al negrito que se había ido acercando abandonando su maderita con el piolín ensartado en un embrollo de matas, y lo sentó sobre sus rodillas, lo hizo saltar a caballito, chasqueando la lengua para simular el trote. El chico se asustó al principio, luego le tomó gusto al juego, aferrado a las manos de Tristán que lo sostenía, todavía con una pizca de miedo pero ya invadido de placer, saltaba y se dejaba caer blandamente. Con su gruesa barriga le golpeaba el estómago. Durante un rato, el Quejoso soportó el juego torciendo la boca en una mueca de desdén, después se cansó, desprendió al chico de su montura y lo alejó de una patada. La felicidad es siempre fugaz, pensó Tristán, mientras el chico se apartaba llorando. ¿Que hace, bestia?, dijo, pero el Quejoso no lo oyó, reía reconfortado y se cebaba otro mate. Tristán corrió detrás del negrito y le puso unas monedas en la mano, creyendo que las arrojaría o que jugaría con ellas como chapitas, pero el chico las contempló sobre su palma, dejó de llorar y entró en una de las chozas, a grito pelado, apretándolas en el puño.

Contésteme, insistió el Quejoso. ¿Qué tengo que contestarle?, preguntó Tristán, perdido. Usted es lo mejor para mí, enunció el Quejoso a la espera de una respuesta semejante. ¿Qué le digo?, se preguntó Tristán. Quizá pretendía que lo reconociera como su alma gemela. Lo miró de reojo, con un rechazo intenso. Sería franco: mejor era Giacomino, y el negrito, mejores los árboles sin prejuicios y las noches que se transformaban con palabras. Sin embargo, calló. El Quejoso podía tener reacciones agresivas. Se trataban cordialmente, lo convidaba con mates, pero se contrariaba con facilidad, como el padre de Giacomino. Era alto, robusto, y las manazas. ¿No entiende? Usted es lo mejor para mí, repitió el Quejoso con un acento de creciente impaciencia. Vació el mate y usando el taco aplastó la yerba húmeda hasta hacerla desaparecer en la tierra. Usted también, reconoció Tristán finalmente; no valía la pena provocar una bronca y dio un paso al costado. Ante la declaración, el Quejoso se ablandó satisfecho, una sonrisa ingenua iluminándole el rostro. Por un momento, sin embargo, lo asaltaron sus desventuras y dijo: No tengo suerte, y enumeró algunas. Los negros le ojeaban las plantas, que se olvidaba de regar: estaban mustias. Habían traído en sus morrales pestes nuevas que en el verano le abicharían los tomates. Darles la mano, cosa que él nunca haría, ni en sueños, tocarlos, balancear a un negrito sobre las rodillas, como había hecho Tristán, podría acarrear males mayores. ¿Qué males? Catástrofes, dijo el Quejoso, mirando las chozas de los negros, multiplicadas, el cielo que oscurecía; sintió hambre y también un sólido, renovado resentimiento hacia los invasores que le habían ocupado el paisaje. Ni el cielo mismo se libraba, cuando encendían las hogueras para cocinar al aire abierto, el humo ascendía en espiral, incluso olía distinto al de la quema, que pujaba denso a ras del suelo. Pero no obstante estos recortes, todo estaba engrandecido por el reconocimiento de Tristán, que no era un pobre tipo sino una persona afín, su alma gemela en suma. Los dos habían nacido en esta tierra y esta ventura los hermanaba como un lazo de sangre. De ellos, los ríos más anchos, las montañas más altas, los campos más fértiles.

¿Comprende ahora?, dijo afectuoso. Y por suerte se olvidó del que compartía la pieza de Tristán. No le dé confianza a esos negros. No son argentinos, remató. Fraternalmente, le apoyó su mano sobre el hombro, y ante el color opaco de la luz, Tristán supo, quizás por la carga de esa mano que pesaba como la estupidez del mundo, que la noche vendría pero que él no podría recordar la frase que la transfiguraba.

Giacomino entró al bar y se descubrió. Se sentó junto a la ventana, colocando el sombrero sobre la silla libre, y el mozo, que lo conocía de verlo pasar, se acercó cansinamente a la mesa. Por el momento, al mozo sólo lo fastidiaban los negros y en consecuencia no les permitía la entrada. A ése, tocado con el sombrero de felpa, vestido de modo estrafalario, lo tomaba por un extravagante, a lo sumo un loco inofensivo. Tenía las ropas limpias y el rostro escrupulosamente afeitado. Anotó a su favor la piel blanca y los ojos celestes. ¿Qué le sirvo?, preguntó desganado. Con sus modos gentiles, Giacomino le pidió un café, mientras una mujer acodada en el estaño le dirigía una mirada apreciativa. Era alta, de grandes pechos, y con pasos largos, balanceando su cartera, caminó hacia su mesa. ¿Me permite? Giacomino se incorporó, enrojeciendo. Ella le preguntó si no lo molestaba. Por supuesto que no, contestó Giacomino poniéndose de pie, se apresuró a quitar el sombrero de la silla y lo depositó de copa sobre el suelo; le rogó que se sentara, se sentía honrado. ¿Sí?, preguntó ella un poco sorprendida y cuando el mozo trajo el café, ella le ordenó una bebida, y ¿Qué puedo comer? Tenía ojos marrones, graves y hermosos, y una boca lastimera, con las comisuras hacia abajo. Cuando el mozo se retiró, se reclinó contra el respaldo de la silla y le sonrió tan afectuosamente que el corazón de Giacomino se contrajo en un principio de éxtasis y angustia. Trató de sentarse erguido para que no se le notara la deformación de la espalda y apretó muy fuerte las manos debajo de la mesa. Sabía, Giacomino sabés, se dijo inflexible, que las personas no son ridículas sino cuando pretenden parecer o ser lo que no son. Se afanaba por ocultar sus defectos que no eran ridículos pero sí ridículo el esfuerzo que ponía en ocultarlos, y en hacer como si no los tuviera. Mediante un trabajo del ánimo que humedeció su frente de sudor, se torció hacia un costado mostrando el perfil, el contorno ondulado de su espalda con los omóplatos sobresalidos, y ella lo observó mientras masticaba y tuvo una sonrisa fugaz, indiferente. No reveló sorpresa ni disgusto. Giacomino sacó un pañuelo y se secó el sudor de la frente, bebió su café y al depositar la taza sobre el platito lo rajó por el golpe. No es nada, dijo ella. Tenía un modo tranquilo y seguro, y se hizo cargo de una conversación de preguntas. Poco a poco, Giacomino las respondía y terminó discurriendo por su cuenta, se descubrió hablando de su casa, tan lejos, y de los sueños y de la manera en que uno despertaba. A todos el despertar es daño, dijo.

Nunca le habían prestado tanta atención y su lengua se volvía elocuente. Afirman algunos maestros y escritores hebreos que entre el cielo y la tierra vive un gallo selvático, que está en la tierra con los pies y toca el cielo con la cresta y el pico. Aparte de otras particularidades, este gallo gigante tiene uso de razón; ciertamente, como un loro, ha sido amaestrado para, y en medio de la frase, ella se limpió los labios con la servilleta de papel, recogió su cartera y se incorporó. Había registrado las señas que un hombre le efectuaba desde la puerta del bar. Gracias, dijo. El gallo... continuó Giacomino y enmudeció de golpe. Miró lo que ella había comido y bebido y se sintió desvanecer. Las mejillas en fuego, la alcanzó en la puerta, donde ella cerraba tratos con el hombre. Señora, señora, balbuceó. Ella giró hacia él, no hostil sino dispuesta a escucharlo, enarcó las cejas en un gesto interrogativo. Y como Giacomino no encontraba palabras para confesarle que, salvo el café, no tenía con qué pagar, ni manifestaba otros intereses que podrían concernirle con provecho, ella, por un milagro, torció hacia arriba las comisuras bajas de su boca, dijo después: Fue una hermosa charla, y cruzó la puerta del bar. El hombre la siguió, guardando cierta distancia, quizá por un resabio de prudencia o pudor. Giacomino los miró partir, transpirando. Dio un paso adelante. El mozo apareció a su lado, lo sujetó del brazo y lo condujo a la mesa. ¿Se va?, preguntó. Siéntese, dijo, con un ademán que no se sabía bien si era empujón u ofrecimiento. ¡No me empuje!, gritó Giacomino, los ojos relampagueantes. El mozo dejó caer los brazos a los costados. No lo empujé, aseguró con una sonrisa incierta, sin explicarse cómo ese alfeñique se permitía ese tono, y cómo él, que lo doblaba en altura y lo cuadruplicaba en fuerza, podía sentirse intimidado. Pero así era. Sonrió en venganza con una sonrisa cretina que a su pesar se le transformó en servil. Bueno, aceptó Giacomino secamente, sentándose, las manos tan descontroladas que rompió el pocillo sobre el platito rajado. A sus espaldas, el mozo le dirigió una mirada reprobadora y se alejó. Giacomino, inquieto sobre su silla, vio pasar los minutos, se retorció las manos, intentó unir los pedazos del pocillo. Sin saber cómo se encontraba abismado en una catástrofe; el gallo selvático seguía con los pies sobre la tierra, mitad en la tierra, mitad en el cielo, pero a diferencia del gallo, él estaba con la cresta y el pico sumergidos. Deseó su país natal, donde todo el mundo lo trataba con miramiento, nadie se atrevía con su padre. Y ahora, hasta un mozo de café lo empujaba y él no tenía dinero para pagar las cervezas, los sandwiches, papas fritas y maníes que la mujer había tragado. Toda su inteligencia resultaba inútil, su dominio de idiomas, el don poético. Incluso sus títulos de nobleza, que nunca había tenido en mucho y que ahora le parecían deseables para demostrar que era un señor y no un insolvente aprovechado. Pero insolvente era. ¿Cómo pagaría la cantidad monstruosa de comida que la mujer había devorado con mesura, pero con apetito inexorable? ¿Cómo soportaría su orgullo la humillación del reclamo? El mozo no le apartaba los ojos de encima, tamborileaba con los dedos sobre el mostrador y ese ruido le sonaba a marcha fúnebre. En el momento más álgido de su desesperación, como un ángel salvador, pasó Tristán por la calle. Giacomino golpeó tan fuertemente con el puño en el vidrio de la ventana junto a la mesa que por poco no terminó de romperlo, lo que hubiera sido más grave que la rotura del pocillo y de consecuencias fatales. Pegó su rostro a la ventana, la respiración estertorosa. Tristán sonrió, saludó a lo mudo a través del vidrio, alzando la mano para indicarle que lo esperara, como si Giacomino pudiera hacer otra cosa, y entró al bar. Vio los platos y vasos sobre la mesa, los restos del festín, y se quedó frío. Volvió a mirar, incrédulo, y calculó mentalmente. ¿Qué le había ocurrido a Giacomino? ¿Le había agarrado la locura? El mozo se acercó y trajo la cuenta, sumó el pocillo roto y el platito rajado, y como si supiera que Giacomino padecía la más estricta insolvencia, se la entregó a Tristán, quien miró las cifras con incredulidad penosa. Respiró profundamente. Quedáte aquí, ya vuelvo, tranquilizó a Giacomino. Fue hasta la casa y sacó sus ahorros del colchón. ¿Cómo advertirle a Giacomino que debía comer en casa?, se interrogó en silencio mientras salían del bar después de saldar la cuenta. Era tan susceptible y condenadamente orgulloso. Pero otro gasto como ése y acabarían en quiebra. ¿Cómo advertirle? ¿No te vas a ofender? ¿No? ¿Verdad? Giacomuccio, ¿verdad que no te vas a ofender? Lo que menos quiero es ofenderte. Lo miró de reojo y transpiró a su vez, porque, ¿cómo decirlo?

Giacomino, la vista baja, caminaba a su lado, a los saltitos, fatigándose. Tristán acortaba el paso, pero igual a Giacomino no le daban los pulmones ni las piernas. Giacomino, dijo Tristán dulcemente, cuando entraron a la cocina, los bares no son para comer. Mirá, acá tenés de todo, y le mostró la alacena donde había un pan, fideos, yerba y azúcar. ¿Te gusta la fruta? Te compro fruta. ¿Te gusta comer algo especial? Te lo preparo. ¿Querés germen de trigo para la cabeza? Te lo compro.

Giacomino seguía con la vista baja, la expresión mortificada. Perdoname, dijo.

¿De qué? Tristán le palmeó el hombro muy suavemente porque Giacomino podía desarmarse en cualquier momento. Lo notó tan triste que sacó de su lugar bajo la cama, la caja de cartón con los papeles, pero Giacomino no demostró interés, y la volvió a guardar.

Querido Giacomo:

¿Recordás tu poema para mis nupcias con Peroli? ¡Giacomo querido! ¡Giacomuccio! No me alegré al recibirlo; aunque las tratativas estaban aún en el veremos, tu poema acercaba peligrosamente la fecha del matrimonio, la consagraba. ¡Y de qué manera, Giacomuccio! ¿Qué te pasó que era tan lúgubre? ¿Mis nupcias? Mi entierro, diría.

> *O míseros o cobardes*
> *Hijos tendrás. Míseros elígelos.*

¿A qué me alentabas? A resistir estoicamente la miseria, desdicha de nuestro destino; de otro modo, la cobarde blandura que se entrega. En realidad, un elogio: como me considerás virtuosa, mis hijos serán desgraciados. ¿No hay otra elección, Giacomuccio? ¿Una alternativa más clemente? Escribiste un poema aleccionador y árido, como el de un cura que nos muestra el infierno. Si me hubiera casado, así sería: el infierno.

Me río ahora de esa época cuyo futuro *festejabas* en tu poema. Jamás quise a ese novio, tan increíblemente tonto, tan increíblemente feo. Se inclinaba ante mí, envarado, y me saludaba con los labios muy húmedos de espesa saliva (¡escupía cuando hablaba, Giacomuccio!): Señorita Paolina, a sus pies. Tomaba mi mano replegando el anular, el meñique, y la acercaba a su boca con esa costumbre de nuestros caballeros que nunca comprendí: ilusionar con un beso (o amenazar) y abandonar la mano a veinte centímetros de la boca, como si el gesto no valiera la pena. Sin embargo, actúan así para realzar el respeto. Quiero, pero no me lo permito. ¿No es una mentira, Giacomino? Cuando me visitaba, se encerraba con nuestro padre en la biblioteca (cuántos años, todas las semanas ahí encerrados) y discutían con corteses maneras, padre instruido por nuestra madre, que siempre tuvo la cabeza más clara en esto de los negocios. A este señor Peroli nada le bastaba, e ignoro cuáles eran las pretensiones de nuestro padre. Yo tenía la impresión de que Peroli venía a entrevistar a papá para tratar sobre tierras, fincas, dinero, sábanas, fundas, almohadas; lo veía registrando de reojo en su paso hacia la biblioteca los muebles que podía solicitar como dote, regateaba sobre platos y cubiertos, copas de cristal y manteles, hubiera querido tener brazos de gigante para llevarse todo el mismo día del arreglo, y si los brazos no le resultaran suficientes, puesto que yo entraba inevitablemente en el trato, me arrastraría por el suelo, como un niño hace por despecho con la muñequita muda de su hermana, o le diría a un criado de ponerme sobre el colchón de plumas que el criado cargaría agregado a la dote, en dirección a la puerta.

Cinco años que duraba esta pelea. Por suerte, de mí sólo se esperaba el saludo de recibimiento y despedida. No más. Ninguna obligación de demostrar sentimientos que no experimentaba y que de sentirlos, madre me los hubiera prohibido. La conocés, Muccio. Juzga lujuria todo lo que no sea acatamiento triste. El señor Peroli nunca me ha tocado, salvo en el gesto de llevar mi mano hacia su boca y detenerla a un espacio prudencial de su saliva, que sin embargo me salpicaba; me repugnaba la sola idea de un contacto con él, me repugnan sus manos de dedos ahuesados y cubiertas de vello, me repele su piel, el olor mohoso que despide, como el de un cofre mucho tiempo cerrado con ropas húmedas cuyas vaharadas nos asaltan al abrirlo. Hace unos días, padre me llamó a la biblioteca, lugar de sus charlas importantes. Peroli ya se había marchado, aunque yo esperaba en mi cuarto dispuesta para la despedida, lo único que marcaba, como el saludo y alguna palabra de acongojante intranscendencia, nuestra particular relación. ¿Se había marchado? Y comencé a tener esperanzas. La expresión de padre era grave, su voz resentida. El compromiso se había disuelto. No habían logrado ponerse de acuerdo sobre la dote. ¿Cuál de los dos dijo basta? Reí y me abracé contra su pecho. No le dije a padre lo que sentía. Mi miedo de que me condenaran a ese rostro, a ese cuerpo. Escupida en cada palabra que me dirigiera, ese rostro frente a mí, en el desayuno y las comidas, ese rostro junto al mío en la almohada. ¡Qué sufrimiento todos estos años, Giacomuccio! Qué pánico de que algún día concertaran la dote y debiera vestir el traje blanco de novia para unirme de por vida a ese falto de espíritu. No podía hacer nada. Cuando Peroli se presentó peticionando mi mano, yo accedí. Sabés que nuestros padres no me obligan, pero cómo contrariar mi destino prefijado: mujer casada. Y cada vez que nuestro padre me decía: todo está bien, me sentía morir. Morir en silencio y a ocultas, dentro de mi cuarto. Fuera de sus paredes (dentro de ellas e íntimamente) esperan mi obediencia y la concedo. Lo peor de mí es que nunca hago percibir mi esclavitud.

Y al mismo tiempo, también me indigné. Me dije, ¿cómo ese hombre se atrevió a rechazarme? ¿Valgo menos que unas tierras, unas sábanas, una vajilla? ¿Y qué busca mi padre intentando mi casamiento con un tonto? ¿Qué camino gris, qué lecho sin amor, qué presencia odiosa a mi vera toda la vida? Tengo veinte años, Muccietto, veintiuno.

Lloré al recibir tu poema, ahora puedo confesártelo. ¡Vaya augurio tan lúgubre! Si a otros alentaste con ilusiones, conmigo no tuviste piedad. Quisiste ser verídico al extremo negando el mínimo respiro que nos concede un instante afortunado, inexorablemente cancelaste las fantasías de la juventud, que es como quitarle a un árbol sus primeras hojas, borraste toda imagen de dicha. Y no te detuviste allí: con rigor me incluiste en ese género que llamás las mujeres. No para ayudarme sino para preguntarte —y preguntarme— si no es nuestra la culpa por estos tiempos indignos. Tanto poder tenemos, tanto poder nos concedieron graciosamente los hombres (a mis pupilas de mujer el hierro y el fuego domar fue dado, a un gesto de mujer el sabio y fuerte obra y piensa) que a la hora de las cuentas pagamos con creces lo que nunca usamos. El mundo que ilumina el sol, nada menos que el mundo, se inclina delante de nosotras. Y quienes nos otorgaron tan inmenso poder nos señalan para qué, como un avaro que regala un juguete costoso a una niña y, desconfiando de su aptitud, le muestra cómo jugar sin abandonar jamás el juguete que, sin embargo, ha regalado. Así, este inmenso poder nos fue concedido, no para incitar a los hombres a obras de infamia y vergüenza sino para estimularlos a las más altas virtudes y entonces, como estas virtudes son tan escasas qué mejor que preguntarte y preguntarme si no es nuestra la culpa. Hemos roto, escarnecido el juguete que solo contemplamos desde lejos. Nuestra es la culpa si la llama en los jóvenes se extingue, apagamos en ellos la nobleza viril, el amor al peligro, nuestra la culpa si los hombres olvidan su naturaleza y sus mentes se vuelven blandas y sin coraje. Mujeres. Ah, Giacomuccio, te digo como a Brutus, ¿vos también?

En la tarde del domingo, el Quejoso propuso Vamos a mirarlos, refiriéndose a los negros de la laguna porque los que habían ocupado el descampado frente a su casa no le provocaban interés. Además, ya los había observado tanto a todas horas del día que los conocía al dedillo. ¿Para qué quería mirar a los de la laguna? Si también los odiaba. En realidad, como mucha gente, buscaba pretextos para sufrir. Tristán no tenía nada que hacer y accedió fácilmente, incluso celebró la aparición del Quejoso en la puerta de calle, anunciándose con un llamado de palmas. Giacomo dormía después de un paseo que lo había hecho llegar al amanecer, y para no molestarlo Tristán había pasado gran parte del domingo enclaustrado en la cocina. Esperaba la noche, y la repetición de esas palabras que no recordaba durante el día y bajo cuyo imperio la noche se transformaba. Quizá no fuera prudente aceptar la compañía del Quejoso porque en el encuentro anterior la frase no se le había ocurrido o alguien se había quedado afónico —esa voz que venía de muy lejos— y no se la había susurrado en el oído. ¿Pero había sido el Quejoso el culpable?, O simplemente así sucedía con los poetas, tan inspirados de pronto, y de pronto mudos, vacíos.

Fueron hasta la laguna y observaron que a la primera choza se habían agregado otras, más pequeñas. Distantes, en un terreno pelado, unos negritos jugaban al fútbol con los pies descalzos y una pelota pinchada que tenía forma alargada. No había muchedumbres a la vista, la gente debía dormir la siesta o sentían ya el frío de comienzos del invierno. Sólo una mujer desafiaba el aire libre moliendo granos sobre una piedra, frente a su choza. El Quejoso dijo: Qué tetas. Y frunció los labios, indignado. Se quedó observándola con una cargazón cada vez más densa, como si esos senos le infirieran un agravio personal, hubieran hecho su camino de senos sólidos a colgados sólo para herir su deseo. Al rato, del interior de la choza, salió otra figura por la pequeña entrada, a la que el Quejoso acusó en el primer momento con la misma mirada desdeñosa. Era una chica que sostenía un balde de plástico, roto arriba en los bordes, y cuando se irguió a la luz de la tarde del domingo, el Quejoso deshizo el frunce de los labios, lanzó una exclamación ahogada. Tristán pensó que se había atragantado con la saliva, pero pronto comprendió su error. La chica ajustó a sus piernas una vieja falda de tela tejida y durante un rato permaneció contemplando a los negritos jugando al fútbol, a lo lejos. El Quejoso profirió algo así como una queja, un ay prolongado de estupor, sonrió luego bobamente. Qué tetas, dijo, tratando de mantener el tono despectivo que había usado con la que molía el grano frente a la choza, y en cambio emitió un susurro casi tierno. Era un hombre torpe y sin instrucción, de odios estables, pero la belleza, si encuentra campo propicio —y el campo propicio puede ser completamente inesperado—, habla todas las lenguas, raja el cerebro y allí se mete. Trastorna las convicciones y el corazón. Los ojos del Quejoso, generalmente turbios a fuerza de resentimiento y de vino barato, se hicieron claros y transparentes. Él mismo pareció hermoso.

La chica se movió con una gracia inenarrable. Murmuró algo en esa lengua que nadie entendía y el Quejoso entendió. Procedió rápidamente, con delicadeza le quitó el balde de las manos y señaló hacia adelante. Corrió hacia la canilla, sostenida de un caño pelado, mientras la chica, las palmas apoyadas en la cintura, avanzaba lentamente, majestuosa, mostrando sus senos firmes y redondos, de pezones erectos. Sonrió con sus dientes impecables y a la distancia, la que batía sobre la piedra acompañó la sonrisa con su dentadura estropeada en el marco sangriento de las encías. El Quejoso colocó el balde bajo la canilla como quien maneja un ánfora, y esperó que ella se aproximara. Abrió el grifo. Surgió un hilito de agua, decepcionante. El Quejoso pegó con el canto de la mano sobre el caño para librarlo de obstrucciones, pero sin éxito. Algún negro, por malicia o ignorancia, debía haberlo atorado con piedritas o basura. Está atascado, dijo. Siguió brotando el hilito, aunque él insistió con los golpes hasta torcer el caño. Sin embargo, cuando ella, siempre caminando lentamente, llegó hasta allí, el agua había cubierto la mitad del balde. Suficiente, porque más arriba se escurriría por las roturas del borde. El se apartó un poco, recostándose contra la pared, el corazón latiéndole desenfrenado, abrió la boca, no podía respirar. ¿Dónde se había ido el aire? Algo maravilloso estaba a punto de acontecer y se encontraba desarmado y sin fuerzas. La chica pasó los dedos delicadamente bajo el agua, la amontonó en el hueco de la mano. Su expresión dijo tan pura, tan limpia. Tristán se acercaba sin prisa, disfrutando del solcito de la tarde. Vio la expresión y advirtió que la incauta estaba lejos de imaginar que el agua podía contener peste. Hervila, dijo.

El Quejoso miró a Tristán sin simpatía, no lo reconoció, extraño caído de un lugar extraño, y luego clavó los ojos en los senos desnudos mientras las manos le temblaban, respiraba como a punto de morirse. ¿Qué le ocurría? ¿Qué enfermedad le habían contagiado esos negros que odiaba? Apartó la vista y quedó ciego. No vio el grifo ni el agua ni la luz de la tarde. Lanzó un gemido, trastornado. Torció la cabeza en dirección a la chica y sus ojos se inundaron de esa presencia que jugaba con el agua, los pezones duros y más erectos por el frío. Y esa presencia trajo el grifo, el agua y la luz de la tarde.

¿Cómo te llamás?, preguntó Tristán y ella murmuró con timidez una palabra que sonaba a golpe de mano sobre un parche. ¿Cómo?, insistió Tristán, abrí la boca. N'Bom, dijo ella entonces claramente, y sonrió a Tristán como si al pronunciarlo, le hubiera entregado su confianza, la revelación de quién era. Maruja te llamás, la bautizó Tristán pensando que N'Bom sonaba tierno pero que un nombre corriente la protegería un poco. No supo si ella entendió. Maruja, repitió Tristán, el nombre de una mujer que había amado y perdido. N'Bom no se le parecía en nada y quizá por eso la bautizó así, sabiendo que sólo repetiría el nombre sin su carga de nostalgia.

Es negra, dijo el Quejoso en un susurro dolorido. Claro, dijo Tristán, pero él no lo oyó. En medio de un tumulto de deseos, recapacitó que ella era negra de un modo especial que no ofendía. Esa piel, en lugar de hacerla semejante a la negrada, la diferenciaba totalmente, la piel era pretexto, pretexto los labios gruesos, la cabellera motuda, y el Quejoso no terminó de repetir en un susurro Es negra cuando se dio cuenta con pasmo de que hasta podía amarla...

Al domingo siguiente, los gritos del Quejoso despertaron a Tristán en medio de la noche. ¡Don! ¡Don! Venga a ver.

A lo lejos, junto a la laguna, se alzaban fogatas. Producían una luz amarillenta, con mucho humo; no obstante se lograba ver a los negros que, al compás de un tum-tum de tambores, se agitaban contorsionando la cintura, los brazos en alto sobre las cabezas. Detrás del círculo que formaban los negros bailando, las mujeres estaban sentadas en el suelo, batiendo palmas en un círculo más amplio. Que son sucios, rezongó el Quejoso. ¿Eran mujeres esas sombras achicadas? Deseó que lo fueran y empezó a caminar con la esperanza de que la negrita estuviera entre ellas, y que el escándalo que se avecinaba cuajara en ocasión de un contacto más estrecho.

Los negros bajitos que vivían frente al rancho del Quejoso habían engrosado la fiesta de los negros altos. Quizá lo que festejaban. La partida, la llegada a América, un bautismo o un cumpleaños. Tal vez celebraban el paso de la última inundación que no se los había tragado, según la vieja aspiración del Quejoso; al contrario, después del susto de una noche sobre los techos, habían recibido un montón de cosas inútiles que la gente se había alegrado de sacarse de encima: latas de leche rancia, arroz con gorgojos, sillas rotas que ellos no se molestarían en reparar, acostumbrados como estaban a sentarse en el suelo o sobre cajones de fruta.

Están festejando, dijo Tristán y lamentó que su cabeza se encontrara vacía; había despertado demasiado bruscamente y no recordaba esas frases que hubieran traído tranquilidad a la noche, permitiendo a los negros celebrar la fiesta en paz bajo la luna llena y en una atmósfera sin viento. Pero las frases no se armaban en su cabeza, sólo palabras sueltas.

Los gritos del Quejoso y de unos cuantos que habían bebido unas copas de más, despertaron a la gente del barrio que empezó a salir de sus casas a medio vestir, los pelos revueltos, los ojos adormecidos parpadeando, abriéndose con furia. También se asomó Giacomino, que cuando Tristán despertó, escribía a la luz de una vela; sus ojos enrojecidos, pero no de furia, eran débiles y nunca había accedido a alumbrarse con luz eléctrica como le insistía Tristán; la encontraba demasiado cruda y le quitaba inspiración, sostenía. Dirigió una mirada ausente hacia las fogatas y volvió a entrar en la casa, como un sonámbulo. Tristán se alegró, prefería que Giacomino no se mezclara con la gente, podían voltearlo. Y más ahora, cuando la atmósfera que Tristán había querido dulce y quieta, se cargaba de una violencia inexplicable. Alguien apareció con un palo y señaló hacia los negros. El ejemplo cundió. Que la terminaran con el barullo, aunque el escándalo lo había iniciado el Quejoso y la distancia traía muy amenguado el tum-tum de los tambores. Tanto los que trabajaban como los que no lo hacían, tenían que levantarse temprano, unos para uncirse al yugo y otros para buscarlo, no querían perder el olvido que les regalaba el sueño, que habrían rechazado de saber que era, al decir de Giacomino, una semejanza de muerte. Al ignorarlo, la noche siempre les resultaba corta. Se despertaban con la boca amarga por el vino, el tabaco o las frustraciones. Un día más para envenenarse, para vivir lo mismo. A todos el despertar es daño. Entonces, que nadie se atreviera a invadirles el territorio del sueño, de ese olvido que necesitaban como el aire, menos que nadie esos negros cuya apariencia y costumbres les provocaban sentimientos hostiles y que se reproducían semejantes a hongos asomando bajo los pinos después de las lluvias. Habían ido a quejarse a la comisaría, sin suerte. Para los demás ellos también hablaban un idioma incomprensible. ¿Y por qué querían diferenciarse de los negros, si eran iguales? Los despidieron con vagas promesas, seguridades inciertas, pero ningún patrullero había aparecido por allí para expulsar a los intrusos, poner orden.

Los negros vieron avanzar esa multitud y sonrieron estupidizados. Tomaron los barrotes que empuñaban por bastones rituales; algunos incluso confundieron a la multitud aullante con seres de la misma especie: en celebraciones lejanas ellos habían simulado amagos de pelea para complacer la mirada de sus dioses; gritando, se golpeaban con tallos flexibles, hojas verdes de palmeras o plátanos. El primero al que le partieron la cabeza sirvió para sacarlos del error. Desarmaron la rueda del baile y con gritos guturales abandonaron los tambores, que eran bidones, latas vacías, atropellaron a las mujeres sentadas sobre la tierra, quienes dolorosamente pisadas, se incorporaron después del primer instante de sorpresa y arrearon a los chicos hacia las chozas. Los bajitos de la otra tribu corrieron hacia el extremo opuesto de la laguna y se perdieron entre los matorrales. En dos segundos se hizo el desierto. Los vecinos se miraron sonrientes, salvo el Quejoso que había buscado infructuosamente a la negrita y padecía la decepción. No hay como un buen palazo en el lugar justo, dijo uno. Flexionaron los brazos empuñando todavía los garrotes, pisotearon algunas hogueras; el ejercicio había sido escaso ante la falta de resistencia, y ahora que estaban desvelados, hubieran querido encontrar empleo, destino para las fuerzas que les sobraban. Como Tristán había intentado detenerlos, lo miraron con ganas de buscar roña, luego, doblemente frustrados porque no les dio motivo para desencadenar la guerra, les pegaron unos sopapos a sus propios hijos, descargándose, y retornaron a sus casas.

Tristán se acercó al que había recibido el primer palazo, tendido largo a largo en el suelo. En la huida y en medio de la oscuridad había quedado abandonado. Era un negro joven, vestido con un taparrabo y una pollerita de hojas rotas, la cabellera cortada a cuchillo, terminada en terraza sobre la cima del cráneo. Dos rayas oblicuas le cruzaban el rostro y otras dos, del mismo azul subido, corrían en paralelas horizontales atravesándole la frente de sien a sien. No perdía mucha sangre y reaccionaba, emitió un corto gemido y abrió los ojos, atontados. La pintura debía de ser indeleble porque la sangre no había movido el contorno de las rayas. Tristán observó el tajo de la cabeza, el chichón que levaba; le pasó el brazo bajo los hombros y lo ayudó a incorporarse. El negro, las piernas flojas, dio dos pasos y vaciló, se sentó apoyándose contra unas matas que temblaron arrasadas bajo su peso.

No entienden, dijo Tristán.

El negro comenzó a hablar. Largó un rollo que no terminaba nunca, de un contenido tan oscuro que Tristán no descifró si abarcaba injurias, reclamos o dolor. Sí, sí, decía Tristán, bostezando. El negro lo miró con reproche. Se aburre, dijo. Tristán no entendió, la pronunciación del negro distaba de ser impecable, pero una intuición acertada lo hizo aducir lo correcto. No me aburro, dijo. Provocativamente, el negro escupió hacia un costado, con un salivazo denso que salpicó los pies de Tristán.

El Quejoso lo llamaba desde lejos, entre las sombras. No se quede ahí. Son traidores. Venga, Don.

Su acento desbordaba amargura, se sentía particularmente traicionado porque los negros le habían escondido a la negrita; había inspeccionado los senos de todas las mujeres, incluso viejas y niñas, sin encontrar los que buscaba. Su idea había sido aprovechar el tumulto para arrastrar a la negrita hacia los matorrales, protegiéndola con su propio cuerpo; temblaba de solo imaginarlo. En cambio, sólo se había topado con senos de distintos grosores, flacideces y firmezas que le habían provocado una desilusión profunda. Y aun esos senos no habían tardado en desaparecer dentro de las chozas o huyendo hacia el extremo alejado de la laguna. Él había desencadenado la bronca, excluyendo a la negrita. Ella era ajena a los vicios de su tribu, mala suerte haber nacido en medio de la negrada.

Tristán obedeció al llamado, no por eso de la traición en la que no creía, sino porque el negro, repuesto, se rociaba el cráneo con el agua de la laguna y a él lo asaltó de pronto el cansancio, la frustración por no haber transformado la noche en dulce noche. Alcanzó al Quejoso y antes de empezar a caminar de regreso, giró la cabeza hacia atrás, las hogueras se extinguían con un humo grisáceo, los tambores abandonados, algunos cacharros que habían contenido comida, rotos y dispersos. Fiesta arruinada, en suma. Cuando se volvió, el negro levantaba los brazos por encima del chichón del cráneo y saltando entre los restos de una hoguera, inquebrantable y salvaje seguía su propia fiesta, la celebraba incluso por aquellos que habían huido. Bailaba rodeado de hombres y mujeres de su tribu, de los cacharros llenos de comida picante, de la mirada propicia de sus dioses.

El Quejoso tropezó al caminar y dijo rencoroso: A ese hay que matarlo, sin saber que siempre hay entre la gente o los vencidos alguien que es único e inmortal.

¡Qué belleza!, exclamó Giacomino. Tristán lucía un collar de semillas redondas, color de hojas rojizas en otoño. Se lo había regalado la negrita, aquella que el Quejoso deseaba sin respiro y había buscado infructuosamente en el tumulto, la misma a quien Tristán había bautizado Maruja. Sólo él la llamaba así, porque ese nombre para los demás no cuajaba. Ni qué decir de sus compatriotas en la tribu que nunca podrían pronunciarlo, ni siquiera el Quejoso lo usaba, la llamaba la negrita y en este caso la palabra era apelativo tierno, no suma de rencores y desprecio sino murmullo de amor. Tristán mismo dudaba si había estado acertado, porque repetía Maruja y venía la otra, con su carga de nostalgia, retornaba la perdida en el tiempo, ligeramente mezclada con la negrita, la piel un poco oscurecida, labios más gruesos, ojos menos sabios.

¡Que belleza!, repitió Giacomino, una sonrisa infrecuente en su rostro melancólico. Cuidadosamente, Tristán se desprendió el collar del cuello quitándoselo por la cabeza, se lo ofreció con una sonrisa comprensiva, se daba cuenta de que Giacomino moría de ansiedad por querer verlo de cerca, tocarlo, quizás observar frente al espejo cómo lucía sobre su pecho esmirriado. Giacomino recibió el collar en el cuenco de sus manos temblorosas e hizo un montón de aspaviento, como si nunca hubiera visto nada semejante, se podía creer que sostenía una joya inapreciable de brillantes y esmeraldas. ¿Se lo regalo?, pensó Tristán ante el encandilamiento que manifestaba Giacomino, pero resistió la tentación, regalar lo que nos regalan es pecado. La negrita había recogido las semillas de alguna planta seca, o más probablemente eran tesoro traído de su tierra, las había agujereado con un alambre al rojo y ensartado una por una en un trozo de piolín, un nudito y ya está. Pero no había sido tan fácil, cada pequeño gesto lo había ejecutado por Tristán y no por Giacomino, cada movimiento de las manos hábiles tenía su dedicatoria y cambiarla sin consulta a Tristán se le antojaba traición. Miró aprensivamente a Giacomino, que pasaba las cuentas entre sus dedos nerviosos, y en esto, como en la melancolía, también advertía una contradicción, los gestos eran delicados, pero tan bruscos que Tristán se sofocaba. Estiró la mano para rescatar el collar y se detuvo a tiempo, disimuló rascándose la cabeza, no quería ofenderlo en su orgullo. Giacomino sonreía y acercaba el collar a sus ojos, lo abrió para contemplarlo extendido en todo su esplendor. Calculó mal el estiramiento o pensó que el piolín era elástico o medía kilómetros, porque lo rompió y las cuentas se desparramaron por el suelo. Oh, Oh, gritó Giacomino, palideciendo. Quiso arrodillarse para recogerlas y rebotó contra el piso con un grito doloroso. Tristán corrió hacia él, lo levantó, asombrándose como siempre de la exigüidad del cuerpo, y lo sentó en una silla. Ya había adquirido tanta práctica que lo hacía con una sola mano y de un solo movimiento. No es nada, dijo Tristán. Las juntamos, declaración imprudente porque Giacomino, apretándose la rodilla, había comenzado a incorporarse, ejecutando dos o tres acciones desconectadas que en realidad no se sabía bien si lo ayudarían a levantarse o a caerse. ¡Quedáte sentado!, gritó Tristán con alarma, y sonrió afectuoso para rectificar el aullido. No, rogó silenciosamente, que se quedara sentado. Si empezaba a moverse en cuatro patas por el piso podría ocurrir cualquier catástrofe: se golpearía la cabeza contra el canto del elástico, tropezaría con las patas de la mesa y volaría el mate del envión, se dislocaría un brazo persiguiendo una semilla. Y en el mejor de los casos, juntaría las cuentas con una mano y se le deslizarían por la otra. Giacomino obedeció, permaneció sentado cabalgando la cabeza sobre los hombros con expresión castigada, mientras Tristán las recogía, sólo recuperó una cantidad ínfima porque la mayor parte había caído por un agujero del piso hacia zonas insondables.

Cuando Tristán encontró a la negrita que iba en busca de agua, ella sonrió expectante. Apresuradamente, Tristán llevó la mano hasta el cuello de su camisa y lo cerró. ¡Qué frío!, dijo, y se estremeció para corroborarlo. Ella mantuvo la sonrisa, abandonó el balde y le desabotonó el cuello. ¿No usás mi collar?, preguntó decepcionada. Tristán afirmó con un fingimiento caluroso y le mostró su muñeca, donde perdidas entre los pelos, las semillas que había recuperado bailaban en un remedo de pulsera, ensartadas con el mismo piolín. Aquí está, dijo. No te gustaba, murmuró ella, con pesadumbre, al borde de las lágrimas, y Tristán prefirió su tristeza antes que confesar la verdad, la acción torpe de Giacomino y el escurrimiento de las semillas por el agujero del piso. Le levantó el rostro con la punta de los dedos. Me gustaba, dijo. Me gustaba tanto que lo tocaba sin cesar, apretaba las semillas y las sentía calientes como si estuvieran germinando, me parecía que el pecho se me llenaba de plantas. Me lo quité en la calle para que todos vieran tu collar, que para mí tenía más valor que si fuera de diamantes y esmeraldas; quería que todos compartieran conmigo su belleza, oír las exclamaciones de admiración y decir: es mío. Regalo de una dulce muchacha llamada Maruja, el primer regalo que hace en esta tierra, ¿no es cierto? ¿Y qué ocurrió? Se me deslizó de la mano y un bruto que pasaba distraído le dio un pisotón y después, sin querer, lo empujó al pavimento. Y así terminó el collar, dijo Tristán pesaroso y al mismo tiempo con alegría involuntaria porque se había explicado exhaustivamente. Sin embargo, ella mantenía la misma pesadumbre agraviada, no debía entender del todo, aunque lo había escuchado atenta, torciendo el cuello de dibujo impecable. Entonces, Tristán continuó, pensando que la negrita era difícil de convencer o que perdía más de la mitad de lo que él hablaba. Cruzó un camión, dijo, y en operación rescate me tiré bajo las ruedas, creí que el collar se salvaría, pero fue inútil, lo aplastó, casi más me pisa, el camión, muero ahí mismo, y entonces ella se llevó la mano al pecho y Tristán advirtió que esto último lo había entendido perfectamente porque una ráfaga de susto le atravesó el rostro. Cuando por fin, consolada, ella dijo: Te hago otro, Tristán no lamentó la mentira. Le haría otro y esta vez se lo mostraría a Giacomino desde lejos y quizás, llegado el tiempo, podría persuadir a Maruja de que ensartara un collar para su compañero de pieza, con alambre en lugar de piolín. Una mentira podía servir para muchas cosas. Giacomino no la hubiera permitido, orgulloso como era, pero Tristán la necesitaba y el orgullo no entraba en sus cálculos. A ella no podía confesarle que Giacomino rompía todo lo que le caía entre las manos porque entonces preguntaría cómo le había entregado el collar tan desaprensivamente, o si no era capaz de preguntarlo, se le ensombrecería el rostro, se sentiría herida y postergada. En cambio, ahora sonreía mientras le quitaba la patética pulsera. La contempló entre risueña y desdeñosa. Te hago otro, repitió, y espió la reacción de Tristán que sería de alegría inmensa. Él exclamó ¡Ah! y la abrazó. Carraspeó incómodo. Había creído que fraguaba la mentira para consolarla y se daba cuenta de que era Giacomino quien estaba en el primer lugar de sus preocupaciones con un privilegio en el afecto del que se avergonzaba ante la candidez de ella. Por él había mentido, para ahorrarle animadversiones que nunca podría responder mínimamente, había querido protegerlo, en suma, de los infinitos rencores que la torpeza alimenta cuando no la rodea el cariño. Y pensó, mientras la negrita se alejaba con el balde en busca de agua, que era mejor incluirse en la mentira hasta el fin porque la verdad siempre trae remordimientos.

Querido Giacomo:

Hace tiempo que no tengo noticias tuyas, tanto tiempo que no te escribo tampoco. Pero estoy tan cargada de infortunio que temo ensombrecerte demasiado. ¿Te acordás de Nina, la hermana de Mariana Brighenti, nuestras amigas? Me comparaba con ella, más con envidia que con desdén. Su ánimo dista de ser frívolo, pero es ligero, la ligereza de la burbuja, de las nubes que corren en un cielo de verano. Bromea cuando habla de sus penas de amor, las reduce a una nimiedad aunque su decepción sea intensa. Me ha dicho que no quiere más que reír, y si esta es su finalidad, reirá seguido, estoy segura. Pero yo soy todo lo contrario. No he reído *nunca*, precisamente porque no me conformo sólo con reír, quiero reír y llorar al mismo tiempo, amar y desesperarme, pero amar siempre y ser amada de la misma manera, subir al séptimo cielo, después precipitarse, yo me he precipitado realmente, pero al séptimo cielo no he subido jamás. ¿Dónde estás, Giacomuccio? Hasta ahora pensé que seguías viviendo en ese país que ni siquiera oí nombrar. Sin embargo, Nina me escribió que estabas en Florencia con un amigo napolitano de apellido Ranieri. Si antes, al saberte en Florencia, me confundí, al leer ese nombre, Ranieri, sumé un cúmulo de interrogaciones, de angustia, de ilusiones renovadas incluso. Ante este nombre, ¡qué sobresalto! Me confié a Nina, le supliqué que me sacara de dudas, que me respondiera exactamente. Le revelé todo el poder de mi antigua pasión. ¿Qué pasión?, te dirás. Ya te contaré, Giacomo. Jamás me escribiste que estuvieras acompañado de Ranieri, de hecho nunca lo nombraste. Se lo pregunté a Nina, te lo pregunto a vos. ¿Estás seguro, Muccio, de que ese señor es napolitano? ¿Que se llama Ranieri de apellido? Ah, Giacomo, enrojezco porque mi delirio es ridículo y casi me arrepiento de haber iniciado este discurso y de mantener viva la incertidumbre. Pero si este señor que es tu amigo *no es* napolitano, si se llama Ranieri *de nombre*, no de apellido, mi duda pudiera resultar no tan ridícula. Sería *mi* Ranieri. Podés creer que mi corazón palpita cada vez que oigo su nombre, de tal manera que Nina lo nombró en su carta y se me puso en la cabeza que tu amigo fuese uno solo con aquél que fue mío. No te burles. Estoy casi loca de dolor... ahora que todo ha terminado. Ranieri hace tres años estaba en Bolonia, lo último que supe. Aprobaste mi compromiso con él (como aprobaste a todos mis pretendientes y seguirás aprobándolos sin detenerte demasiado en sus condiciones; querés verme casada, Giacomuccio). Lo que no sabías era la fuerza de mis sentimientos. Lo he amado, no sabés con qué ardor; me sentía su esposa ya que las dificultades de la dote habían sido resueltas, y si bien no era rico nuestros padres habían condescendido a mis deseos. Sin embargo, Giacomo mío, ¿lo creerás? Lo rechacé. Él era como yo había deseado en mis sueños, nada que ver con el imbécil de Peroli de mis veinte años (a quien también aceptaste, escribiendo ese poema luctuoso celebrando mis bodas). Ranieri era joven, amabilísimo, lo adoraba, pero un día me asaltó una duda que no supe aclarar, y adiós vanas esperanzas, adiós sueños lisonjeros, ¡adiós felicidad! Sabés cuánto cuesta renunciar a una ilusión querida: cuando se ve bajo otro aspecto al objeto amado y una se descubre no amada...

Yo sé que las mujeres te amarán en cualquier sitio que elijas, sea Florencia o ese país que ni siquiera oí nombrar, y como todos los hombres, aunque seas tan distinto de la mayoría, te dejarás amar y amarás sin comprometerte demasiado. Me escribiste sobre Ranieri que bien podía creerse, en realidad ser casi cierto, "que un joven de talento como R..., después de haberse divertido bastante, y después de haberse aburrido de la galantería, como a todos sucede, sintiera la necesidad de amar a alguien que lo amase de verdad, y que uniera a la juventud el buen corazón y la capacidad de sentimiento". Así, ¿él venía a mí por hartura de diversión y galantería? Ah, Giacomuccio, no es lo que pienso. Él debía esperar eso de mí, ¿y yo? ¿Qué necesitaba yo? No un corazón gastado. Esperaba que no hubiese amado a nadie como a mí. Y se lo pregunté; no supo contestarme. Una sombra casi hipócrita cruzó por su cara, se borró en seguida, pero esa sombra permaneció en mí para el resto de mis días. Giacomo, Giacomo, me precipité al vacío. ¿Este era el amor que sentía por mí? ¡Qué tristeza, Giacomuccio! No solamente de orgullo herido, ese más allá que es el amor no estaba en su rostro, no figuraba en sus sentimientos. Me he quedado con su imagen indeleblemente esculpida en mi corazón, y con el dolor cruel de no haberle inspirado ese amor que yo sentía por él, ardiente, furioso. Si lo hubiese amado menos, habría aceptado esa pasión tibia que desmiente la naturaleza de la pasión y que a tantas criaturas conforma. Pero lo amaba tanto que no pude. Me arrepiento. La felicidad es un animal tímido que se asoma rara vez de su cueva. Si hacemos un gesto desmañado, se asusta y huye. Así, por no querer apresarla como a un animal tímido, huyó la mía para siempre.

No te enviaré esta carta, Giacomuccio. Sé, además, que tu Ranieri no es el mío.

Estaban hablando de amores y Tristán hubiera preferido otro tema. Con éste, nunca se sabía si convocaría pesares. Sentados a ambos costados de la mesa, la habitación tan en penumbras al gusto de Giacomino que Tristán no embocaba el agua cuando la vertía en el mate, Giacomino bebía café, denso y muy dulce, y ya iba por la segunda taza. Tristán desaprobaba el hábito, ¿nadie le había advertido a Giacomino que el café no era conveniente? Excitaba. Ponía los nervios de punta. Es verdad que en Giacomino no hacía falta, así los tenía por naturaleza; Tristán ni siquiera estaba seguro de que debía achacarle al café el brillo particular de los ojos, alguna sonrisa rápida que se le escapaba a Giacomino, tan ajena a su melancolía que parecía nacer de otra boca. En su fuero interno, Tristán temblaba. Cómo había surgido ese tema que en ellos resultaba insólito. Sólo era posible porque el amor había irrumpido, y no precisamente en Tristán. ¿No hay más café?, preguntó Giacomino, recuperando con el dedo la pasta de café y azúcar en el fondo de la taza, que absorbió con la lengua. No, dijo Tristán, y le ofreció tilo, valeriana, incluso menta que podía ir a buscar a casa de una vecina. Sólo me gusta el café, rechazó Giacomino. Después te acepto un mate, agregó con su sonrisa bondadosa, y apartándose fugazmente del tema, se burló de ese brebaje autóctono que tenía aspecto de agua cubierta de verdín. Se mostraba locuaz, pero a la inversa de muchas personas, la locuacidad no era en él torrente que arrasa, sepulta los oídos ajenos sin otra consecuencia que el taponamiento de una inmensa fatiga, sino enlace de palabras y pausas; llegaba un momento en que se interrumpía volteando el rostro hacia su interlocutor con una expresión cálida y ansiosa, como si necesitara otras frases, otras palabras para completar las suyas. Únicamente cuando inventaba temas, el gallo silvestre, la variedad de la luz, cómicos diálogos de momias que se interrogaban si estaban muertas, y si estaban muertas, ¿cómo podían hablar?, le costaba detenerse. Mi hermano menor, que nunca me escribe, decía Giacomo, asegura que mis amores han sido más románticos que verdaderos. ¿Qué importancia tiene? De lo real a lo soñado no hay diferencia, salvo que lo soñado alguna vez puede ser mucho más bello, más dulce, de una manera como lo real nunca podrá serlo. En fin, me maravillo de que el pensamiento de una mujer tenga tanta fuerza como para renovarme, por decirlo así, el alma, y hacerme olvidar tantas calamidades; no sé si es más dulce ver a la mujer amada o pensar en ella. Curioso, dijo Tristán que no estaba de acuerdo. ¿Por qué?, preguntó Giacomino; aguardó un rato y como Tristán callara, ya que se sentía hecho de una materia vulgar donde el amor había sido siempre añoranza de presencia y no quería confesarlo, Giacomino agregó: Presente, la mujer amada sólo me parece una mujer, lejana me parecía y me parece una diosa. A pesar de esto, reveló con los ojos bajos, enrojeciendo levemente, me muero del deseo de volverla a ver, de volverle a hablar. ¿A quién?, murmuró Tristán. A la mujer amada, cualquiera sea el nombre. Dos manchones rojos alteraron el ligero rubor de las mejillas de Giacomino, la delicadeza de la piel; se inclinó hacia Tristán con expresión de interrogación afectuosa, ¿Y vos?, preguntó. Tristán, más para que desapareciera el enrojecimiento de las mejillas, la veladura del tono, contó a regañadientes sus amores, una pasión lejana que por pudor rebajó de intensidad, algunos encuentros con mujeres que se le cruzaban ahora sin que ninguna significara demasiado, ninguna diosa en presencia o ausencia, fugaces contactos, emociones cambiantes que siempre le dejaban un sabor de fatiga. Giacomino terminó de chuparse el dedo humedecido con los últimos restos del café y el azúcar, y sujetó una caja de fósforos olvidada sobre la mesa, mientras se refería a sus primeros amores ya que no se sentía capaz de volver a los recientes; en su juventud se había enamorado de dos muchachas que veía desde su ventana y con las que a veces hablaba por señas. Ambas pertenecían a la servidumbre, y cómo el señor de la casa podría discurrir con ellas sino a ocultas, desde la ventana y por señas, si el cancerbero de su madre no le quitaba ojo. Amores lejanos y prisioneros hasta que ambas habían muerto, muy jóvenes. Sin embargo, coronados por la desesperación, habían tenido una extraña, profunda realidad. Cuando concluyó el relato, Tristán vio que las manos de Giacomino habían ejecutado su obra, la caja estaba deshecha y los fósforos desparramados. Los juntó y buscó algo más sólido para que Giacomino se entretuviera. Sacó uno de sus tesoros, una piedra roma, de forma redonda como alisada por el mar, que había encontrado a orillas de la laguna, donde las piedras grandes eran escasas. Cabía justo en el hueco de la mano de Giacomino, quien la sopesó y comenzó a sobarla, presionando los dedos sobre la superficie. La piedra no lo inspiró, porque de golpe, como si una sensación violenta, insoportable, lo invadiera, o como si alguien lo reclamara con la misma violencia, se alzó inesperadamente, devolvió la piedra a Tristán, y sin decir una palabra, electrizado, se calzó la levita enredándose en las mangas, recogió el sombrero y se marchó hacia la calle. Tristán estuvo tentado de adjudicar al café una decisión tan brusca, pero sabía que, de hacerlo, se equivocaría irremisiblemente. Abrió de par en par la puerta del cuarto, la ventana, para que entrara la luz y los mates le fueran visibles, apreció lo que ya le había dicho el gusto, que la cebadura estaba gastada, y descubrió un charco de agua y yerba a sus pies, sobre el piso de madera. A través de la ventana, miró alejarse a Giacomino, pequeño y jorobado. Llevaba prisa, tal vez se había citado con quien Tristán ya intuía, porque un nombre había comenzado a aparecer en la conversación, no en la reciente de los amores sino en otras más triviales ocasionadas por el frío o el calor, la comida, la gente del barrio, el insomnio, donde ese nombre surgía traído por el azar de las circunstancias, por asociaciones aparentemente inocentes y fortuitas cuando había estado contenido en la lengua como un animal vivo hasta que por fin podía pronunciarse, liberarse sin que pareciera confesión. Tristán guardó la piedra en su lugar, no le había gustado demasiado a Giacomino, quizá porque no podía romperse, y se preparó otro mate, lo cebó a la luz sin desperdiciar agua, el ánimo ligeramente venido a menos. Reconoció que Giacomino le preocupaba deparándole inquietudes de muy diversa índole: el nervio óptico, su debilidad, la particular capacidad que tenía de romper todo lo que le caía entre manos y su particular incapacidad para procurarse el sustento; sin embargo, estas inquietudes él podía absorberlas como una esponja, amparándolo bajo el manto de su afecto y protección. Giacomino enamorado era otro asunto. Ante la intensidad de los sentimientos que podían convulsionarlo, Tristán se sentía desprotegido él mismo, inerme. Ya a los pocos meses de compartir la pieza, se había dado cuenta de que era muy inclinado a arrebatarse en forma súbita e incontenible, aunque con respecto a las mujeres, Giacomino advertía que había perdido dos de las virtudes teologales, fe y esperanza, y que no le restaba más que la tercera, de la cual no tardaría en despojarse. Vanas afirmaciones, actitud de estéril defensa la de Giacomino ante los sentimientos que las mujeres le provocaban. ¿De cuántas se había enamorado?, y las mujeres habían muerto, como la hija del cochero que había amado a los veinte años con una pasión tierna, imposible, o lo habían rechazado, ignorando incluso lo que padecía. Sin embargo, seguía enamorándose imprudentemente, y podía sospecharse que nadie nunca correspondía a su pasión. Ahora, para aumentar la desazón de Tristán, se había enamorado de Maruja, a quien llamaba N'Bom y saludaba en su mismo idioma, porque tenía una facilidad de terror para las lenguas. Era ese nombre el que soltaba Giacomino con una frecuencia que no se debía al azar, el pensamiento que le renovaba el alma. Ella no le prestaba atención, ni siquiera lo miraba con curiosidad, aunque el aspecto de Giacomino, vestido de levita, su inevitable sombrero calado en la cabeza y su espalda de huesos torcidos, resultaba raro, pero para ella también era raro Tristán y casi todo el mundo. Sólo que había rarezas que le gustaban y otras que la dejaban indiferente. Los senos de N'Bom tenían loco a Giacomino; él no veía lo que veían los hombres que se cruzaban accidentalmente con N'Bom: dos redondeces sólidas que despertaban concupiscencia; la concupiscencia quedaba relegada ante el vértigo de sensaciones y pensamientos que esos senos le provocaban; con idéntica naturaleza pasaban a tener distintas cualidades, capaces de ser menos dispensadores de placeres que de ensoñaciones. Por esos senos, la vida empañada se volvía nítida; la tierra, el cielo y el infinito comenzaban a moverse y se transformaban para Giacomino en un mar inmenso, los pájaros lo llevaban consigo, se perdía en una nube y encontraba a Paolina, en la nube. Los versos acudían uno tras otro, se armaban armoniosamente sobre el papel sin que interviniera su voluntad, y la gloria estaba ahí, al alcance de la mano; todo parecía posible. Tristán no entendía muchas cosas de las que hablaba Giacomino, que en este caso le retaceaba el factor desencadenante, pero lo seguía atentamente, y el esfuerzo por comprender valía la comprensión misma.

Días después, un atardecer ventoso, Giacomino, que había anticipado su paseo nocturno, regresó antes de lo acostumbrado y se apoyó contra la puerta, exhausto. ¿Caminaste mucho?, preguntó Tristán, observando que por suerte había salido con bufanda. Le acercó una silla y Giacomino se abandonó sobre ella como si las articulaciones se le hubieran deshecho. Temblaba tanto con todo el cuerpo que la agitación de manos pasó a segundo plano, su frente estaba bañada de sudor.

N'Bom…, balbuceó Giacomino, y se cayó de la silla por el envión de un sacudimiento descontrolado. Tristán puso en pie la silla y lo ayudó a sentarse, le quitó la bufanda con la que le enjugó el sudor de la frente, la dobló luego sobre la mesa y le trajo un vaso de agua. Hoy… articuló Giacomino penosamente. ¿Qué había ocurrido?, se preguntó Tristán; sólo un hecho de importancia extrema podía impulsarlo a pronunciar el nombre de N'Bom sin la excusa del azar de las circunstancias. Ella finalmente había reconocido el fuego, quizás había conducido a Giacomino hacia un costado de la laguna, entre los yuyos, y él, víctima del placer y la extenuación, se debatía ahora en el conflicto de la felicidad y la angustia, odiaría la facilidad, lo asaltarían los celos... Hoy..., repitió Giacomino. Sí, dijo Tristán, paciente. Y hubiera querido tranquilizarlo, levantarlo en brazos y protegerlo de las pasiones que lo devoraban, del recuerdo de la consumación entre los yuyos que no era prueba de amor sino caldo de sospechas. No te enamorés, rogó Tristán mentalmente, mientras lo espiaba, transpirado y tembloroso sobre la silla, tenés poco cuerpo, no contás con qué afrontar esa tragedia que es el amor, aun el más feliz. Pero Giacomino no escarmentaba, bien lo veía. ¿Qué había ocurrido? Hoy... Había un viento loco, dijo Tristán. Suerte que saliste con bufanda. Hoy... hoy me miró, dijo Giacomino con voz inesperadamente serena, me miró, y ante esta declaración tan simple, Tristán tomó conciencia de que el mundo había corrido en vano y los seres con él, nada significaba tener más, ser capaz de más cosas. Todas las aceleraciones y posibilidades eran en resumidas cuentas sin provecho. ¿Qué era hoy una mirada? Nada, en comparación con lo que fue. Se gastaban y perdían en su propia multitud; ninguna tenía poder suficiente para desencadenar lances de honor, tormentas de sentimientos, pasiones de abismo y cumbre. Sólo podían provocar emociones reducidas, rencillas domésticas. Salvo en Giacomino. Ella lo había mirado, y para él, ardiendo de deseo, por el momento era lo mismo que haberlo consumado. Otros concretaban el deseo y podían quedarse saciados, indiferentes o felices. Giacomino hubiera muerto. Libre de esa muerte, Giacomino sólo sabía —y gozaba— que ella lo había mirado. Temblaba como en la iniciación de un acto de amor, sudaba como después de realizado, y su alma, sosteniendo su cuerpo tan frágil, era llevada a los cuatro vientos por esa felicidad insoportable. Sólo sabía que ella lo había mirado, y allí, en el recuerdo y posesión de esa mirada, se hundía, hacía el amor con ella, se aniquilaba.

La negrita linda se atrevió con el asfalto. Lo pisó con los pies desnudos, tanteó primero usando precaución infinita, y sonrió. No lastimaba. Menos que la tierra erizada de cascotes, abrojos y algunos pastos con pinches. Era menos peligroso también, en la tierra cerca de la laguna se cortaban con vidrios de botellas rotas, restos de latas olvidadas allí desde tiempo inmemorial. En esa superficie dura y fría sólo había que tener los ojos atentos, y ni siquiera eso porque estaba increíblemente limpia. De los autos y camiones no se cuidaba, su oído afinado registraba desde lejos el ruido de los motores, y en su ingenuidad pensaba que la evitarían, ignorando que su presencia podría desviar a los conductores de su camino recto y conducirlos hacia cualquier catástrofe.

No presentaba ya los senos desnudos a la observación desprevenida que al instante se tornaba insistente en los hombres, ultrajada en las mujeres; el Quejoso le había regalado su primer vestido, de tela roja que se le ceñía al cuerpo. La seguía a todas partes como un perro triste en busca de su dueño, y él, que odiaba a la negrada, sólo sentía amor por ella. Esto no lo sumía en ningún conflicto, su odio hacía de los negros seres repugnantes, su amor convertía en ella el color, las motas, los labios abultados, la nariz ancha, en rasgos deseables. Incluso aspiraba ávida, voluptuosamente su olor fuerte, que en los otros negros le provocaba repulsión. Hedían a catinga, a ácido de transpiración trajinada en un día de verano; ella traía a su nariz perfumes de flores desconocidas que a su olfato le resultaban tenues. Una tarde se había aparecido con el vestido y se había quedado mudo, quieto, mientras ella sacaba el vestido de la bolsa de plástico con risas y exclamaciones de placer, y se lo calzaba por la cabeza, cubriendo esos senos que lo fascinaban. Después el Quejoso había vuelto a respirar, había extendido la mano y los había tocado, como si la tela hiciera permisible la confianza. Y ella lo había dejado tocar. En esta tierra era fácil ser feliz, había pensado N'Bom, no escarmentada por el hecho de que, semanas atrás, los vecinos les habían arruinado la fiesta. Pero no era su fiesta, no deseaba intervenir, sentándose en el suelo con las otras mujeres que batían palmas como tontas, se había limitado a oír los tambores mientras paseaba alejándose de la danza en torno a las hogueras, la mirada encandilada en las escasas y distantes luces del barrio que para ella brillaban como constelaciones en la oscuridad. Había escapado sin un rasguño; viendo aproximarse a esa multitud que protestaba, sombras amenazantes enarbolando palos, no había padecido las confusiones fraternas de los negros con los bastones rituales; adivinando las intenciones de pelea, rápidamente se había puesto a salvo con sus hermanos más chicos, arreándolos dentro de la choza. También allá, de donde venían, sucedían desgracias, se habían despertado alguna vez durante la noche atacados, ellos, tan pobres, por otros que sufrían hambruna. Los golpeaban, prendían fuego a las chozas, les robaban las cabras. En cambio aquí sólo habían interrumpido la fiesta, repartido algunos golpes, era más fácil ser feliz. Mientras el Quejoso apretaba sus senos, se le aproximaba con la boca babeante, ella decía La boca no, tanteando al mismo tiempo la tela del vestido que él levantaba. Apartando el rostro, pero sumisa en el resto, se prometía que en un futuro cercano tendría otros vestidos, faldas y blusas incluso, de distintos colores que cambiaría según su voluntad y capricho.

Pisó el asfalto con creciente confianza; pronto estaría calzada como las mujeres del barrio con las que empezaba a cruzarse. Dispuesta y contenta al sacrificio de aprisionar sus pies, que quería insoportablemente delicados, no rugosos, de palma endurecida. Esos pies delicados que serían suyos sufrirían por el menor roce, aun de ese pavimento limpio y frío; no podrían caminar sin estar protegidos por zapatos, y dijo esta palabra cuidadosamente, repitiéndola para fijarla en su necesidad y deseo. Conseguiría los zapatos de la misma forma, usando el mismo recurso que no le costaba demasiado, sólo unos momentos de fastidio; no le gustaba soportar babas, invasión frenética, jadeos, pero sucedía con la brevedad de un relámpago, sobrevenía la ausencia, del fastidio y de quien lo provocaba, y entre las manos quedaba un presente de otra manera inalcanzable, una posesión que se podía gozar. Las otras mujeres de su tribu, cubiertas de andrajos, habían empezado a trabajar en las casas nunca terminadas de ladrillos, y limpiaban, refregaban, se agotaban a veces por un poco de comida que ni siquiera comían; carentes de palabras la agradecían con gestos y se la llevaban para alimentar a la prole. Otras veces recibían ropas antiguas, trapos viejos o unas monedas que las negras al principio rechazaban, ignorantes de su valor —y que de haberlo sabido hubieran rechazado igualmente. A las mujeres de las casas nunca terminadas de ladrillos les costaba sangre tener sirvienta, ¿pero cómo renunciar? Miraban trabajar a las negras y no podían creer que las otras fueran las sirvientas y ellas las señoras. Que las otras no pararan un instante y ellas se limitaran a observarlas con los brazos cruzados. Más tarde, las negras se atreverían a las calles del centro, a los barrios residenciales, y entonces, las mujeres del barrio se pondrían como locas por la competencia y las odiarían a muerte. N'Bom no quería ese destino, ni el de las negras ni el de las rubias, sino otro, que no sabía muy bien cuál era, salvo que sería magnífico. La gente la seguía con ojos curiosos, había subido del asfalto a la vereda, y ella advertía las miradas codiciosas de los hombres fijas en sus senos, y cuando los traspasaba, sentía que esas miradas se pegaban entontecidas a sus caderas. Se irguió, adelantando la barbilla, y sonrió. Aprendía con facilidad y lo primero que había aprendido ya en su pueblo era que todo consistía en un trueque. Lo que se cambiaba, vendía y compraba era distinto en esta tierra, pero no iba a tener miedo. En su aldea, el mundo no se mostraba, vivían y morían lejos de todo. Aquí sus ojos vivaces descubrían una cosa tras otra. Algo que podría encerrar valor para ella escondían las miradas, las palabras que la perseguían a sus espaldas, muchas de las cuales no entendía. Ella descubriría su valor, que ya sospechaba, y en ese momento tomaría su parte en el festín del mundo. Entonces se atrevió con sus pies encallecidos y de piel tan dura que las veredas le parecían blandas y suaves como terciopelo, y caminó elegantemente, balanceando las caderas. Un hombre que iba de compras con su mujer y sus hijos, se separó de ellos y tomó el camino opuesto, siguiendo a N'Bom como hechizado. Ella volteó la cabeza, probó su poder con una sonrisa y el hombre balbuceó, rojo hasta la raíz de los cabellos. Quizá lo que hubiera sucedido si la mujer, que había acudido corriendo, no lo hubiera rescatado a los gritos. Lanzó una palabra, un corto insulto, en dirección a N'Bom, que no la entendió, aunque más tarde le sería familiar. Sólo registró, feliz, el impacto que producía. Moscas eran ante la miel.

El amigo de Tristán venía a su encuentro, y N'Bom, por primera vez, notó su aspecto estrafalario. En otras ocasiones apenas si le había merecido una mirada indiferente. Él llevó la mano al sombrero y se descubrió con una sonrisa tierna y melancólica en su alegría. Ella advirtió, también por primera vez, que en esta tierra el gesto constituía un homenaje. Él le hablaba en la lengua de su tribu y ella simuló no entender. ¿No observaba que estaba vestida? ¿Por qué le hablaba en esa lengua que sólo tenía palabras para la variedad de árboles, para los pájaros, los grados de sequía y hambruna, la muerte y la vida como alternativas, las dos fatales e inexorables, pero no palabras para expresar lo que experimentaba y deseaba su corazón. Con esas palabras que él pronunciaba en su lengua, la devolvía a la selva, la hacía semejante a las mujeres que se llenaban de hijos, perdían los dientes, transformaban los senos espléndidos en colgajos. A pesar del homenaje del sombrero, que él mantenía aún entre las manos, ella se sintió agraviada y lo miró con desprecio. Como había ocurrido con la mujer del bar cuando revelaba la maravilla del gallo selvático, ella también lo dejó en medio de una frase; se fue corriendo calle arriba rodeada de las miradas codiciosas de los hombres, homenajes más decentes y mejores que el quitarse el sombrero de ese imbécil que al hablarle en su lengua, la humillaba.

¿Usted conoce la Argentina?, preguntó Tristán al Quejoso, queriendo decirle que la Argentina era esa multitud de negros que habían levantado chozas por todos lados para huir de la intemperie. Pero el Quejoso era muy nacionalista y entendió mal la pregunta, suponiendo que Tristán requería datos de su geografía inmensa.

¡Cómo no la voy a conocer!, dijo el Quejoso. Si nací aquí. Y se explayó sobre las montañas que había a miles de kilómetros con plata, cobre, oro, todo lo que uno podía desear, y la pampa rebalsando de vacas, y el trigo que crecía como alfombra dorada. Los lagos del sur y la nieve para deportes de invierno, tan sólida que venían los europeos que no podían practicarlos en sus países porque la nieve siempre se les derretía. ¿No se lo dijo su amigo? Me dijo que la luz era distinta, contestó Tristán. Porque no podía decirle otra cosa, rebatió el Quejoso, sarcástico. ¿De qué pampa iba a hablarle?, apenas si tienen una vaquita o dos, con ubres secas, pastando en terrenos como pañuelitos. Allá todo es chiquito. ¿Sí?, preguntó Tristán, que en esto de las medidas geográficas se sentía muy ignorante. Todo es chiquito, salvo el engreimiento. No comen carne, siguió el Quejoso, lanzado, tragan verduras sin sabor, ¿leche fresca?, no saben lo que es la leche fresca. Creen que somos gauchos, terminó el Quejoso, un poco incongruentemente, y escupió con desprecio. Usted no conoce nada.

Verdad, reconoció Tristán. Era bicho de suburbio. Caminaban a la orilla del río, sobre la costa barrosa. Mire, Don, señaló el Quejoso, el rostro oscurecido. ¿Usted lo entiende? Me lo contaron y pensé que era mentira. Tristán no, porque ya había visitado la costa el día anterior y junto con otros curiosos había visto lo que había que ver. Habían estado largo tiempo contemplando el paisaje, de pie y luego en cuclillas para aliviar el cansancio, y al anochecer, agotados los comentarios, se habían retirado arrastrando los pies, como si les cayera encima una hecatombe irreparable. Sólo los que habían venido de la ciudad con cámaras de televisión se habían mostrado exaltados, increpándose a los gritos y discutiendo a los empujones, encimados en el mismo puesto que juzgaban preferencial y que era un sitio cualquiera, barroso como los otros. El mismo conflicto había sucedido en el aire, y en esa lucha por lograr mejores tomas, dos helicópteros que revoloteaban muy próximos habían chocado de frente precipitándose al vacío. Ni siquiera esta agitación había disminuido la pesadumbre, y menos en Tristán. Hacía mucho que no acudía a su cabeza la frase que transformaba la noche; si alguien le susurraba la frase en el oído, ese alguien había decidido concederse un descanso, o si intuitivamente se le ocurría a él (¡porque era poeta!), debía convenir que había muerto su fuente de inspiración. Así, desértico, había regresado con los otros, y si ahora volvía en compañía del Quejoso se debía a que lo contemplado había sido tan inverosímil que deseaba corroborar su realidad.

El Río de la Plata era una lengüita de agua. Se había secado como si un gigante bebiera la corriente, la absorbiera por la boca y los poros. Primero encallaron los barcos más grandes, reclinándose sobre el lecho del río como animales mal acomodados, después las chatas areneras y finalmente ni los remolcadores encontraron agua para avanzar. El día anterior Tristán había visto unos botecitos que persistían a fuerza de desencallarlos con el remo. Incluso usaron el remo como pértiga, hundiéndolo verticalmente en el limo. El tripulante de uno de esos botes se cansó de ese bregar inútil, saltó del bote y con el agua hasta las rodillas, lo empujó a tierra firme. La tierra que había dejado el río al retirarse era lodosa y olía mal, con peces muertos.

¿A usted le parece?, se lamentó el Quejoso, la voz alterada. Seguro que es cosa de los negros. Se vienen con tierra y todo.

Y río, agregó Tristán.

La lengüita de agua se iba transformando, pero no era el más ancho del mundo el que volvía. Era un río de anchura generosa, ligeramente más claro, tirando a verde, caudaloso en el centro y manso en las orillas. Creció, inundando el lecho seco de modo tranquilo y continuo, como si estuviera en su casa. Unos tipos con unos trapos blancos de vestimenta, algunos con chiripá de bebé y saco sport, que al principio Tristán confundió con los negros de la laguna modificados extrañamente o con vecinos de la capital, chinos, coreanos, que nunca había visto, se desnudaron de la cintura para arriba, depositaron sus ropas en montoncitos prolijos sobre la orilla (las que estaban sin vigilancia fueron robadas al instante), y entraron lentamente en el río, hundieron las manos en el agua y se rociaron la cara y el pecho, ajenos al tendal de barcos y chatas encalladas a lo lejos, que desaparecían poco a poco sumergidos en el lodo, los mástiles cubriéndose bajo el empuje de la nueva corriente.

A unos cien metros de Tristán y el Quejoso, tres hombres sobre la costa empujaban con delicadeza una vaca hacia el río, y cuando se empacaba, en lugar de proceder como cualquiera hubiera hecho, a punta de palo, con pedradas o puntapiés, redoblaban la paciencia cinchando en conjunto, sumando palmadas cariñosas, quizá palabras de ternura que no alcanzaban a oírse. Finalmente, consiguieron que la vaca penetrara en el agua hasta que le cubrió las ubres, llenaron unos recipientes plateados que llevaban suspendidos del cuello mediante gruesos piolines y la refrescaron volcando el contenido sobre la testuz y el lomo. El animal se dejaba lavar completamente inmóvil y miraba a la distancia con la absorta, despojada mirada de una criatura inmortal.

El Quejoso se encrespó, ¿Y éstos quiénes son?, dijo, sacudiendo violentamente el brazo de Tristán para descargar su furia. ¿Qué hacen mezclando cristianos con animales? Se lavan los caballos, no las vacas. ¿Usted vio alguna vez lavar una vaca? Nunca vi, dijo Tristán, distraído, sin prestar atención a la incoherencia del Quejoso que sin darse cuenta había otorgado alta categoría a esos indios de piel amarronada. Se sentía atraído por otro punto del paisaje, y pensó que las sorpresas se sucedían, ¿era posible que alguien dijera un poema y que variaran los accidentes de la tierra, como había acontecido con la noche dulce y clara? En absoluto, esos dones de influir con la palabra sobre los seres y las cosas eran concedidos raramente, a uno por vez durante siglos. Aquí hablaba la naturaleza, decidida a darle orilla a la corriente que sustituía al río más ancho y que de recorrer el mismo cauce se hubiera disperso en desmesura. El Uruguay se había acercado, se veía patente la otra orilla, hasta los árboles y las casas, las rutas desparejas donde circulaban autos y camiones. Si Tristán no se equivocaba, también ahí habían sufrido la invasión de los negros. No lucían tan oscuros a la distancia y estaban vestidos, pero rubios y claros no eran. Se parecían a los que habían entrado en el río. Formaban círculos alrededor de una montaña donde resaltaban compactamente pequeños retazos de color. ¡Flores!, descubrió Tristán con pasmo, creyendo que tenían raíces asentadas en una tierra que podía ignorar la primavera, aún lejana, y que la montaña misma, sin rocas subterráneas, era enteramente de flores, su interior colorido y fragante como el más hermoso de los jardines. Después de un rato se decepcionó: las flores cubrían la superficie, se amontonaban en la cima, el resto debía ser de un material combustible porque alguien acercó una tea y la montaña comenzó a arder con fuerza, el aire se ensombreció del otro lado. La hoguera crepitó alegremente, aunque había muchos que se llevaban las manos a los ojos, como si lloraran por duelo o por humo. El sol, inalcanzable al hollín que despedía la hoguera, se había puesto rojo, cada vez más rojo mientras la luz tomaba ese tono irreal del crepúsculo.

¡Mierda!, dijo el Quejoso. Me vuelvo a casa, y no hablaba de su casa como era, construida a los tumbos y con materiales ínfimos, sino de un palacio. Podía decir: la diferencia es la que nos hace ricos, incluso nobles. Así se sentía. Tenía un retrete en el patio. Y no sabía si era mejor sufrir a los negros, cuyas costumbres ya conocía, que a esos aparecidos de piel amarronada que se habían venido con su propio río y que ni siquiera respetaban el aire, quemando sus basuras al abierto con desparramo de hollín. Me vuelvo a casa, repitió, los ojos furiosos, enrojecidos como si estuviera junto al fuego. Los poquitos en el agua se hacían multitud, incluso de mujeres, vestidas con túnicas hawaianas, algunas con el sello de un curioso lunar en el centro de la frente, un adorno brillante a un costado de la nariz, y la mayoría, las cabezas cubiertas por chales grises o amarillentos. Como los hombres, se tiraban agua en el rostro. Se sumergían de pie y reaparecían, las manos unidas a la altura de los ojos. A pesar de sus palabras, el Quejoso no se marchó. Protestó: Dígame, ¿qué país nos dejan?

No esperó respuesta. Tristán miró hacia el río. Seguían tirándose agua. Hacía frío, acentuado por la caída del sol, pero si querían bañarse, ¿por qué no se metían por entero en una posición más cómoda? No debían saber nadar, hacer la plancha. Parecían felices y Tristán se dijo que habían sido más vivos que ellos que le legaron al río peces que no se podían comer y riberas sucias donde introducir un pie era agarrarse una peste. Quizá por eso, por pura vergüenza, el río se había zampado la tierra y se había dejado sustituir. Ignoraba que el nuevo, apenas más claro, con tantos intrusos bañándose, vacas en remojo y cenizas que arrojarían al consumirse la hoguera, no correría mejor destino. Y por otra parte, las pestilencias de las fábricas harían lo suyo, ¡y de qué manera! En unos años o meses, hasta el nuevo podría cansarse, y lo que había sido decisión personal del Grande podría convertirse en costumbre, hasta de los pequeños, y se irían todos, vaya a saberse dónde, al centro de la tierra o a las galaxias transformándose en ríos de estrellas y harían corte de manga a los sedientos que los mirarían ansiosos desde el cauce seco y resquebrajado.

El Quejoso, no obstante su intención declarada, permaneció allí, removiendo los pies, indeciso, como si para marcharse debiera cumplir un gesto. De pronto, tropezó con una piedra y se le iluminó el semblante. Se inclinó con un movimiento elástico, se alzó de nuevo cargando la piedra, que era roma de un lado y del otro terminaba en una punta filosa, y echando los hombros hacia atrás, tomó impulso y la arrojó. Fue tan rápido que Tristán no alcanzó a detenerlo. No hubiera podido, porque el Quejoso tenía una determinación ciega y actuó asistido por el relámpago exacto de la razón. La piedra le pegó a uno que se rociaba la cara con una sonrisa imbécil de beatitud, acertándole en la mitad del pecho. El hombre tuvo una contracción de dolor y luego se quedó inmóvil. Lanzó una mirada sorprendida hacia la orilla y después retrocedió unos pasos chapoteando en el agua. Tristán vio sus ojos negrísimos, las grandes ojeras, los labios oscuros, casi marrones. Su mirada encontró la de Tristán. ¿Qué me hacés?, parecía decirle. ¡Yo no fui!, gritó Tristán. Y el otro, sin creerle, retrocedió hasta que el río le cubrió la cintura, se perdió entre la multitud.

Rajen, ¡hijos de puta!, gritó el Quejoso y buscó otra piedra. No había.

Es pecado desperdiciar la comida, dijo Tristán. Giacomino alzó los ojos del libro que estaba leyendo y confirmó: Es verdad. ¿Y entonces por qué no comés? En ese lunes había puesto sobre la mesa una comida lujosa de domingo: fuente de milanesas apiladas para que se conservaran calientes, una ensalada de lechuga y tomates. Lo menos, esperaba una manifestación de entusiasmo. Sabía que Giacomino era de paladar difícil y al verlo tan escurrido se esmeraba, más atento a las preferencias de él que a las suyas. Verbigracia: había renunciado a preparar fideos, que resultaban económicos y que durante mucho tiempo habían constituido su menú cotidiano; Giacomino siempre los encontraba recocidos, al dente, ¡al dente!, exclamaba, rechazando el plato con esa pasta babosa, criticaba, aunque alistados según las indicaciones de Giacomino, a Tristán le sabían a harina cruda. Colocó la botella de vino sobre la mesa y dos vasos, confiando en que el verde y rojo de la ensalada, el olor de las milanesas, le despertara el apetito. Indiferente a los colores y a los manjares, Giacomino siguió leyendo, dio vuelta la hoja y bajó más la cabeza. ¿Sería N'Bom-Maruja quien le arruinaba el apetito?, se preguntó Tristán. Ya no hablaba de ella, aunque tampoco antes había hablado específicamente de sus sentimientos. Tristán los había adivinado al principio por el brillo de sus ojos al nombrarla, porque se refería a hábitos y ritos de su tribu seminómade como si hubiera vivido con ella, y después por la confesión de esa única mirada de N'Bom con el equívoco dichoso de su sentido. Hacía ya días que Giacomino era el de costumbre, había recuperado su melancolía habitual, sin el sobresalto de la pasión. Regresaba de sus caminatas con una fatiga inmensa, comprensible por su constitución frágil, pero sin temblequeos ni sudores excesivos, no derribaba sillas ni balbuceaba. Incluso fraguaba juegos y bromas para Tristán porque como todos los melancólicos tenía raptos de humor, por cualquier cosa accesos de risa adolescente. Había empezado a ejecutar un juego con ambas manos, como de castañuelas, familiar, decía él, a los antiguos, con el que obtenía una música alegre. ¿Te gusta?, preguntaba, y Tristán asentía porque no se cansaba de escucharlo. Y en estos momentos de serenidad temporaria, era capaz de bromas inocentes. Se hacía el desentendido cuando Tristán, al intentar calzarse, descubría que un zapato estaba atado con los cordones del otro mediante intrincados nudos, y los esfuerzos y protestas de Tristán le provocaban una risa preciosa que desgraciadamente después Tristán añoraba. Por lo tanto, si ahora no manifestaba interés hacia la comida era debido a una modalidad inveterada y no a negruras del ánimo, y menos a penas de amor, aunque con él nunca se sabía. Tristán le cerró el libro: Cuando se come, no se lee, dijo. Se sentó a la mesa; las milanesas se enfriaban. Empezó a comer. Servíte, dijo. Masticó arrugando el ceño, ya sospechaba lo que venía. Giacomino lo miró como si no comprendiera, los brazos a ambos costados de su plato vacío. Servíte. ¿Yo? Tristán le acercó la fuente. En mi casa, dijo Giacomino, siempre me sentaba al lado de mi padre en la mesa. Él me servía. ¡Uf!, dijo Tristán, ensartó una milanesa con el tenedor y se la arrojó sobre el plato, le amontonó lechuga y tomate. Miró comer a Giacomino. ¿De dónde salía? Bien se había dado cuenta de que Giacomino pertenecía a una familia educada, según él su padre era conde y la madre marquesa, hablaba con palabras escogidas y jamás se permitía un gesto grosero, pero en la mesa parecía un analfabeto. Peor: alguien que hubiera nacido sin madre ni padre que le enseñaran algo tan elemental como el manejo de los cubiertos. No usaba nunca el cuchillo. Amenazando con los codos puntiagudos, atacó la milanesa intentando despedazarla con los dientes del tenedor. Ante la mirada reprobadora de Tristán, volaban las lechugas, saltaban las rodajas de tomate, la milanesa iba de acá para allá sobre el plato sin que lograra separar más que partículas de huevo y pan rallado, ínfimos fragmentos de carne. ¿Por qué no usás el cuchillo?, gritó Tristán, rebelado ante el tironeo, no soportaba más. Tengo animadversión por los cuchillos, contestó Giacomino con una sonrisa impertinente. Mi padre... ¿Qué te hicieron los cuchillos?, se enojó Tristán sin dejarlo concluir, y enarboló el que tenía en la mano: ¿Te cortaron, te pincharon la cara, te tajearon el costado con una herida como a Cristo? No. Lo agarrás por este mango y cortás la milanesa. Hasta un infante de cinco años lo sabe y vos no. Yo no, dijo Giacomino, y la sonrisa impertinente se había borrado de su rostro reemplazada por una expresión triste. Es tanto trabajo... moverse, cerrar cada cajón que se abre, cada prenda que se usa, lavarla, cada palabra que se escribe... borrarla. Tanto trabajo, Tristán, cuando uno elige una palabra entre miles y de pronto comprende que hay una más justa que se nos esconde, la única posible, la única necesaria... No hagas historias, Giacomino, dijo Tristán, el tono dulcificado, es una milanesa y yo ya me la comí. Está bien, aceptó Giacomino, y si Tristán creía que el asentimiento significaba que iba a usar el cuchillo, se equivocaba. Miró incrédulo. Giacomino recogió la milanesa que salteando la fuente de ensalada, había caído en el otro extremo de la mesa, la devolvió al plato y forcejeó con tanta fuerza para separar un trozo que respiró con fatiga; dobló el tenedor y al segundo intento lo partió por la mitad. Mi padre me cortaba la carne, repitió Giacomino, agraviado y con reproche. Dios mío, murmuró Tristán. Le cortó la milanesa en trozos y le alcanzó otro tenedor. Ya no tengo más, anunció, porque no era la primera vez que Giacomino los rompía. Vas a matarme, dijo. No se explicaba cómo en la casa, siendo tan insoportables según él los pintaba, le habían dispensado tanta paciencia, algún costado rescatable tendrían. No nombrés a Dios, dijo Giacomino masticando melancólicamente. ¿Por qué no? Si es de todos. Y es bueno tenerlo a mano, con vos es bueno tenerlo a mano.

Dios no existe, dijo Giacomino. Tristán dejó de comer, asombrado. Si venía de una familia come velas, ¿cómo y cuándo había perdido la fe? Dios de más, Dios de menos, para él no tenía importancia, no le sobraba ni le faltaba, pero el asunto era distinto para Giacomino, quien le había contado tantas curiosidades sobre su devoción que lo había oído con pasmo. En la infancia le gustaban las batallas campales en el jardín, con sus hermanos a los que daba buenos golpes, pero nada lo entretenía más que sus rezos ante un altarcito que la madre le había permitido alzar en su cuarto; no le bastaba escuchar la misa diaria, llamaba feliz aquel día en que podía asistir a muchas. A los catorce años, ¡catorce!, rehusaba caminar por ciertos pisos para no poner el pie sobre la cruz en la conjugación de las baldosas. Y ahora, tan fresco, negaba todo: Dios, cruz, su propia exageración en la fe. Tristán siempre volteaba hacia lo que era rechazado, así que defendió a Dios limpiando su plato con el pan mientras Giacomino oía sus inocentes argumentos —él, que sabía tanto— revelando una sonrisa entre condescendiente y afectuosa. ¿Lo sabe Paolina?, preguntó Tristán, contento de poder introducirla en el tema. Paolina, dijo Giacomino, no sabe nada. ¡Paolina!, gritó, e incorporándose de improviso corrió a la puerta de calle. Era la hora en que pasaba el cartero. Mejor que haya carta, pensó Tristán, regresando al plato unas lechugas errantes sobre la mesa. Cada carta de Paolina sumía en una serena ventura a Giacomino, él, tan desdichado, con poco era feliz, por unos días mostraba un semblante animoso y tierno, pero Paolina no constituía un ejemplo de corresponsal regular, pasaban muchas semanas en blanco que le provocaban angustia. Volvió con las manos vacías, desolado. Súbitamente, había caído en la negrura, en el vacío sin esperanzas. Mañana recibirás carta, le conformó Tristán, Giacomino negó con la cabeza, se desplomó sobre la silla, después de un momento apartó el plato que chocó contra la botella de vino y la volcó. Tristán enderezó la botella, con costumbre de pobre comió de pie los restos en el plato de Giacomino, incluso dos rodajas de tomate ocultas a la sombra de la fuente; recogió la mesa. Giacomino abrió el libro y antes de empezar a leer, la cabeza sostenida entre las manos, musitó: Dios no existe, y en realidad lo que quería decir era que ninguna mujer lo amaba, que Paolina lo había olvidado, que la gloria le era esquiva, y en el olvido y la decepción, nada existía salvo el dolor.

Nuestros padres me aseguran que Dios castigará mi tristeza. Estoy triste, es verdad. Podés entenderlo, Giacomuccio, en ese lugar apacible que te rodea y contiene, donde la gente se entrega al sueño como a una felicidad agregada, sueño y despertar sin daño. ¿Creés que Dios castigará mi tristeza? Puedo comer o no comer, me protegen paredes sólidas, buenos abrigos, y el respeto, la consideración ajena es otro abrigo igualmente bienhechor. Sin embargo, nada de esto aligera mi cuerpo, cadáver, mi alma medio muerta también. Me señalan a los rústicos recordándome que se llamarían felices de poder llevar mi vida y no me atrevo a confesar que quisiera cambiarme por ellos y sus penurias si mi corazón ganara en paz, mi cabeza en inercia. No sólo me pesa la prisión que es esta casa sino la prisión que soy yo misma para mí. No entra aire en sus muros; sus puertas están más clausuradas que las de nuestra casa cuyos portones alguna vez se abren.

Alguien golpea y soy la cancerbera que prohíbe. Soy yo quien golpea, soy yo quien prohíbe. Me despierto a la mañana y me avergüenzo del llanto de la noche, digo que la vida es breve, ¿pero cómo puedo sostenerlo si los días para mí son como siglos? ¿Y no debe ser así cuando en cada día del año al despertar no veo delante de los ojos un solo minuto de ese día que me prometa una sensación agradable, siquiera una? Entonces, trato de conservarme en el sueño, aire que respiro, como quien se ahoga lucha por mantener la cabeza fuera del agua con sus últimas fuerzas; negándome al daño del despertar, me desdoblo en otra mujer, tan distinta de mí que parece hecha de otra sustancia, intrépidamente salto el cerco hacia los campos, ejecuto hazañas que no corresponden a la vigilia, trepo a los árboles sin miedo de que se descubran mis tobillos y madre me vitupere por ser impúdica. Apenas amanece, haga frío o sople el viento, llueva o truene, madre abre de par en par la ventana de mi cuarto, me observa de pie, mira mis manos que siempre deben estar colocadas fuera de las mantas, y no dice palabra, pero su silencio está cargado con la penetración de la sospecha. Creo, Giacomuccio, que me ha visto huir hacia los campos, ha vislumbrado, transpasando la media y el sueño, el fragmento claro de la piel del tobillo cuando se alzó mi falda al trepar a los árboles. Su boca está cerrada en un pliegue duro y amargo. Cómo atreverme entonces, cuando mis gestos están llenos de recato y sumisión —y no obstante sospecha—, cómo atreverme a mostrar lo que guardo, el deseo de amar, de ser amada, los apetitos insaciables que asaltan mi cuerpo, cadáver que no se resigna y resucita (son apetitos e insaciables por lo nunca saciados, se vuelven rabiosos cuando alimentados se tornarían domados, tiernos y tan lícitos, ¿verdad, Giacomuccio, que serían lícitos?). Sin embargo, en ocasiones mis deseos nada tienen que ver con el amor. No podrás creer cuánto me atormenta el pensamiento de que haya cosas en el mundo que no veré nunca. Y más si estas cosas son bellas, tan bellas como los glaciares de Suiza, el cielo de Nápoles, una aurora boreal en San Petersburgo; imaginate cuánto debo sufrir yo, a quien ni siquiera se le otorga la alegría de contemplar los hermosos panoramas de esta región, que no son pocos; y cuánto sufro en reprimir las palpitaciones de mi corazón y los impulsos de mi fantasía todas las veces que leo pormenores de viajes, descripciones de lugares amenos, y entonces lloro y arrojo el libro, y después no sé concederme paz en este triste estado y en esta vida monótona y uniforme hasta morir. No me contés de ese lugar donde estás (¡oh, sí!, contáme, aunque sus paisajes, su gente, su historia, aumentarán por comparación la diferencia entre la felicidad y mi desdicha, pero lo acepto si esa felicidad te incluye).

Te repito, Giacomuccio, que envidio la suerte de los campesinos, cuyas cabezas no los atormentan como a nosotros nos atormentan las nuestras. ¿Por qué no podremos imitarlos? Otros pensamientos distintos de los que nos vulneran, o ninguno. En cambio, nuestras cabezas nos conducen a pasar los días plenos de deseos ardientes que jamás llegaremos a realizar. Como lloro y me desespero, sé lo que me aconsejarás para confortarme: el matrimonio, esa solución única. Por qué no lo admito si por este camino podría salir de esta situación que también te acongoja. Y tanto te acongoja, y tanto querés ayudarme, que encontrás convenientes a todos los partidos, aun a los más tontos.

¿De verdad saldría? O cambiaría el riguroso control de nuestra madre sobre mis mínimos actos por otro, que no me resultaría menos pesado. Digo que sí, digo que no, al azar (¡como una veleta, Giacomuccio!): a un señor de Urbino (¡que no me gustaba nada!), le dije tres veces no y dos sí, y no tuve corazón para pronunciar el tercer sí que me habría encadenado; termino por rechazarlos a todos porque no quiero reírme, como me aconsejás, "de las charlas de los hombres por los cuales, debes creerme, no vale la pena perder un cuarto de hora de sueño". Un cuarto de hora de sueño, perder sólo eso, yo, que daría la vida entera por el hombre amado. Tampoco nuestros padres quieren que me case, aunque expresen lo contrario, si no me obligarían, ¿verdad?; por amor y también para distracción de su vejez, padre me prefiere cercana, y nuestra madre consiente; ella, que afirma que el matrimonio y los hijos son el destino de toda mujer, no debió ser feliz en el suyo, con tantos hijos como tuvo, cuyo advenimiento aceptó sin alegría y cuya pérdida en la tierra agradeció como un beneficio del Cielo. O quizás en ella, ya que el Cielo no me llamó cuando quería, al nacer o en edad temprana, sea voluntaria resignación a mi presencia, tal vez resentimiento que ni siquiera advierte en esa implacable severidad que usa para beneficio de mi alma; me tiene a su lado, puede controlar hasta mis sueños, sabe que nunca me atreveré a contrariarla, ni aun en las cosas más tontas, rechazar un vestido, dejarla con la palabra en la boca, golpear las puertas en un arranque de ira. En cambio, brindo obediencia y docilidad constantes. (Y sin embargo, sospecha cada uno de mis actos.) Madre es dura y jamás se permitirá un gesto de afecto, no recuerdo cuándo me besó por última vez, pero en su testamento dirá: amadísima hija. Lloraré la muerte de nuestro padre, y su última mirada hacia los seres amados será para mí. Pero sólo se ablandarán en la cercanía de la muerte, y nunca sabré si fueron ellos a quienes conquistó la dulzura o se apiadó la muerte en mi presencia y fue dulce conmigo a través de ellos. Ahora, jóvenes aún, fuertes, la palabra de ambos es ley en esta casa y con imperio sobre todos los seres, debería odiarlos y sin embargo los amo profundamente. Ni de la prisión del amor que les tengo he podido salir. Soy una hija perfecta. Y ésta es mi falta más grave. He preferido ser lo que ellos quieren, lo que el mundo quiere y ellos imponen, como esos siervos que superan en dureza al amo a quien sirven. ¿Cómo pudiste vos, Giacomuccio, oponerte? ¿Dónde encontraste la fuerza? Un hombre con precaria salud, crispaciones, saltos de humor. Una mujer sana, de ánimo desparejo pero ansioso de dicha, que no puede nada. (Ya ves que no considero tu inteligencia ni mi falta de dotes.) ¿Quién te ayudó que a mí se niega a hacerlo?

No te apartés de Dios. En ese lugar del mundo donde estás, quizá sea posible no creer en Él sin que te señalen con el dedo. No confíes en estas facilidades, si así sucediera. ¿Qué somos si Dios no nos levanta a su altura? Yo sé que Él me perdonará mis desvíos de pensamientos y deseos, ya que más le interesa la pureza en las obras. Confío en que me destinará al Paraíso. Si no te encuentro allí, el Paraíso dejará de serlo. Y me haré la pregunta terrible: ¿valió la pena? Tanta docilidad y sufrimiento, ¿valió la pena? Dios me perdone. Y si supiera que serás castigado por tu descreimiento, preferiría condenarme yo también para encontrarte donde quiera que estés, Dios me perdone.

Tampoco te enviaré esta carta, Giacomino. No te escribiré por mucho tiempo.

¿Qué hiciste?, gritó Maruja, pegando saltitos a su alrededor. Estaba llena de asombro, casi maravillada.

Tristán se inclinó, torciendo la cabeza hacia abajo para que ella pudiera observar cabalmente el conjunto, los detalles. Con timidez, ella alargó la mano hacia su cabellera, la rozó tanteando las hebras que se habían transformado en el color. Lo acribilló a preguntas: ¿cómo había sucedido, a quién había convocado, qué curandero blanco le había hecho pases mágicos sobre la cabeza? Debía decirlo ya, ¿no eran amigos, no le enseñaba Tristán las palabras, incluso los acentos para que ningún nativo la confundiera con las mujeres de su tribu que trabajaban de sirvientas? ¿Quién es tu brujo, su sacerdote? ¿Dónde estaba?, indagó sin respiro, mirando en torno como si esperara descubrirlo a unos pasos. Nadie, rió Tristán. Pero alguien debió ejecutar la magia, debió entregarle un filtro, y cuánto lo había pagado, y cómo había procedido Tristán para que obrara esa transformación.

Se había untado el pelo con el filtro en grasa, lo había bebido, había enterrado bajo una maleza la botellita del filtro, ¿o era cuerno de cabra?, ¿pata de conejo?, ¿estiércol disuelto en cocimiento de yuyos?, ¿qué era?; lo que era había sido enterrado en noches sin luna, o luna llena, ¿o menguante?, murmurando qué palabras. Quería saberlo, y lo deseaba intensamente. Su mano, que había sido precavida, tomó confianza, apretaba el pelo, se lo mesaba, en un momento hundió la nariz en la cabellera, Tristán, Tristán, decíme, rogó. Él se irguió para quedar fuera de su alcance, si había dudado de los resultados, ante esa admiración ya no dudaba. Tenía por naturaleza el pelo negro que ya empezaba a encanecer, la barba, crecida en un tiempo, era cobriza por algún intruso que había quebrado la línea, pero sin barba no había rasgo o característica que desmintiera su origen. Seguía siendo un inmigrante ordinario, como los que lo habían precedido, en un país que le prestaba sus costumbres y le retaceaba avaramente sus riquezas. En cambio ahora —si no fuera por el resto— con esa pelambrera dorada hubiera podido decir que había nacido en la Europa de los fiordos, en la Escocia de las nieblas y las lluvias, con pastos como terciopelo verde, junto al Elba o el Rhin, en cualquier lugar en suma donde el pelo rubio enmarcara un rostro blanco, rozara un cuello blanco, rematara un cuerpo pecoso, bien alimentado y vestido. En un tipo así, pasar a estas tierras, vivir en ellas, podía ser un capricho.

Ella se cubrió la cara con el brazo, lo miró asomando sigilosamente los ojos. Se le escapó la risa. Dijo con timidez, vencida por la ansiedad: Yo... ¿no puedo yo?

No, vos no podés, dijo Tristán, y ella lo interpretó como una afirmación de desprecio cuando él sólo quería advertirle que no habría rubio que tapara sus motas, y lo que conllevaban: nariz ancha, labios gruesos, piel negra, que sus motas eran belleza y esplendor. Él se veía obligado a recurrir, por razones que se guardaba, a esa astucia patética, pero que ella no lo hiciera.

Egoísta, motejó ella, los ojos brillantes de desafío y deseo. Te regalé un collar y lo perdiste, acusó. Se enteraría sola de cómo se lograba esa mutación soberbia cuyo secreto Tristán no quería compartir, no se daría respiro hasta saberlo, y se imaginó rubia, y más que rubia, las motas estiradas, rígidas como alambres. Conseguiré eso, dijo, la mirada clavada en la cabellera de Tristán. Y entonces harás lo que yo, dijo Tristán con desaliento, ignorando que ella haría mucho más por un camino que la llevaría a las casas confortables, al guardarropa colmado de vestidos, a comer lo que quería.

Entonces, harás lo que yo, esperar en la madrugada, tiritando en una calle con los negocios cerrados, hasta que el cielo decidiera aclararse. Se decidió tarde. Cuando salió el sol, estaba cubierto de nubes, calentaba apenas y la luz era lúgubre. Preocupado por conseguir empleo, Tristán había olvidado la frase que si tenía poder sobre la noche, quizá no lo tendría sobre la madrugada. De cualquier forma, hacía días que no la recordaba, ya desde la mutación del Río, y lo sufría como una pérdida, el mundo le parecía más ingrato, aunque su ánimo naturalmente optimista le hacía ver esperanzas en cualquier pozo, al revés de Giacomino. Apretó el diario bajo el brazo, en un pequeño rectángulo de los avisos clasificados pedían dos mozos para descargar mercaderías. Él podía sostener sobre sus espaldas cualquier cosa, baúles, lingotes de fierro, containers. Y en ese supermercado del aviso sólo descargarían cajones con botellas, bolsas de harina, latas de tomates. Pan comido. Para el evento había lavado y planchado su ropa; por suerte, tenía pantalones de recambio, camisa no, y había andado con el pulóver directo sobre la piel, sufriendo el escozor de la lana picándole tan intensamente en pecho y espalda como picaba la comida de los negros en la boca. En la pieza, dispuestos sobre una percha, los pantalones y la camisa habían lucido elegantes, propios para un casamiento. Casamiento triste, sin mucha gente, consideró Tristán con inocultable alegría al día siguiente: sólo una fila de postulantes se le había anticipado en la extensión de una cuadra. Más tarde, la fila se prolongó con otros que se habían quedado dormidos o que habían llegado, sin plata para el transporte, atravesando a pie barrios enteros, y que la hicieron tan larga como para recorrerla a caballo. Cuando a las ocho de la mañana el sol logró filtrarse a través de un desgarrón de nubes, apareció un hombre por las puertas del supermercado, metódicamente empezó a recorrer la cola que había sido despareja y susurrante y que de golpe se alineó nítida y en silencio. Señalaba a los flaquitos, a los muy serios o demasiado sonrientes, a los de cabellera hirsuta, incluía a los muy miserables o simplemente a aquellos que no le gustaban, y los expulsaba con un ademán inexorable. Agitaba sólo un dedo, el índice, y movía la cabeza. Los señalados hacían un gesto de despecho, de desilusión o de enojo, y abandonaban el campo. Los indios, que había una docena con chiripá de bebé y saco sport, produjeron algunos altercados; temiendo perder el lugar, se pegaban excesivamente a quienes los precedían en la cola, les respiraban en el cuello, incluso los tocaban, aunque al obrar así mostraban una especie de pavor como si franquearan una prohibición terrible. Sin embargo, ellos que habían resistido empujones con inalterable paciencia, ni siquiera esperaron a ser señalados por el dedo o el movimiento de cabeza. Debían oler como perros la disposición, el hálito enemigo. Apenas el otro se aproximaba, descubrían un gesto resignado en los rasgos oscuros, y se marchaban mansamente. ¿Para qué habrán aguantado la amansadora?, se preguntó Tristán, pero no llegó a una respuesta porque el hombre se había detenido junto a él. Miraba fijamente su cabellera, con expresión dubitativa hubiera jurado Tristán, quien trató de mantener un aire de indiferencia. El del examen movió ligeramente un dedo, lo plegó. No obstante las vacilaciones, a alguna conclusión positiva debió arribar porque no le señaló el exterior, que eso era el resto de la calle, un exterior inclemente; ahí, en esa cinta de elegidos podían guarecerse como bajo un techo, algo los unía, una absurda esperanza.

¿Edad? Treinta, dijo Tristán. El hombre que lo atendía detrás del escritorio no era el que filtraba en grueso, el del dedo oscilante, éste vestía traje de mejor corte y usaba anteojos de montura plateada que se ajustaba constantemente con el índice. El hombre efectuó un rápido cálculo sobre el documento que había extendido Tristán, y dijo cuarenta. Se ajustó los anteojos y lo observó con recelo. A Tristán se le helaron los pies, sintió el estómago vacío. Había gastado en tinturas, ¿y con qué resultado? Había querido ignorar, aunque el diario que aún llevaba bajo el brazo lo indicaba claramente, que sólo considerarían postulantes de veintidós a treinta, estudios secundarios completos, algún idioma, buena presencia. ¿Estudios?, le preguntó el que seleccionaba, sin abandonar la mirada suspicaz. Tristán se encogió de hombros, Giacomino hubiera debido presentarse, sabía tanto de todo, era rubio, de pelo finito, ¿pero qué podría descargar Giacomino? Rompería todo, se le caería de las manos, y Tristán no pensaba en paquetes de harina o latas de tomates, demasiado pesadas para él, sino en algún jaboncito, estropajos, paquetes de servilletas de papel, que encima debería trasladar uno por uno. No, lo desechó, mejor que se hubiera quedado durmiendo después de una noche en vela. Terminé la primaria, contestó. No más. Había sido un burro siempre, una parte de su cerebro se movía ágilmente, capaz de percibir cosas que los otros no advertían, de relacionarlas fuera de la costumbre, incluso había recogido aquella frase sobre la noche o se le había ocurrido a él (¡porque era poeta!), pero otra parte no le funcionaba, se había quedado en la infancia. Con la buena presencia sí podía contar, se dijo para animarse mientras el otro seguía escrutándolo indeciso. Los anteojos se le deslizaron hacia la punta de la nariz y se olvidó de empujarlos con el índice, mostró sin protección los ojos que eran de un celeste desvaído, no imponentes como había supuesto Tristán sino una porquería acuosa. Ante esos ojos, Tristán alzó los hombros, reveló el poder del tórax, se sintió fuerte y bien vestido con su ropa limpia y planchada, la campera de cuero que le había prestado el Quejoso, amén de esa melena que denotaba su origen ario, aristocrático en medio de esa jauría de negros. El silencio se le hizo pesado, lo tomó por respuesta. Sólo en el amor lo habían mirado tanto. Dio media vuelta, vencido, y oyó un chistido. Vení mañana, dijo el hombre detrás del escritorio, tuteándolo. A prueba y por unos días.

Tristán dejó a N'Bom, con quien había sostenido una larga charla a orillas de la laguna, y corrió a la casa. Después de un mes en el supermercado, acarreando cajones, limpiando los pisos y vidrieras, lo habían echado por incompetencia, o quizá porque eran visibles y crecían inocultables las raíces oscuras en la claridad del pelo. Pero ahora había vencido la depresión, se sentía particularmente optimista, lleno de proyectos que quería compartir con Giacomino y que desde hacía días compartía con N'Bom. Ella era toda dulzura después que Tristán le confesó su secreto, tanto se había enojado, insistido, que él no había tenido otro recurso. Ante la ausencia de brujos y ceremonias, N'Bom no se decepcionó: Tan simple, dijo, y le saltó alegremente al cuello. Cuando llegó a la casa, Tristán buscó a Giacomino en el cuarto, abierta sobre la mesa estaba la caja de cartón con sus papeles, hojas estrujadas en el suelo y la cama con las sábanas arrugadas como si hubiera dormido la siesta para compensar una noche de trabajo hasta el alba. Quizá la inspiración no había acudido y, entristecido más que de costumbre, se había marchado a la calle. Descubrió su levita doblada en dos sobre el respaldo de la cama, el sombrero detrás de la caja, y la aprensión dominó el corazón de Tristán porque Giacomino jamás salía sin levita ni sombrero; quizá había decidido suicidarse, entonces, vestirse correctamente o no para una ocasión como esa carecía de importancia. ¡Giacomino!, llamó angustiosamente, y antes de dirigirse hacia la puerta de calle, con una última esperanza enfiló hacia la cocina. Absorto, en camisa, parado junto a la hornalla, Giacomino revolvía con una cuchara de madera la leche que hervía. En la mala luz de la tarde, procedía con movimientos enérgicos de una mano, mientras que con la otra sostenía un libro muy cerca de los ojos. No oyó entrar a Tristán, completamente ensimismado en la lectura, que aprobaba con un balanceo constante de la cabeza, y Tristán, conociendo sus nervios, en lugar de entregarse al impulso espontáneo de gritar ¡Me asustaste, idiota!, lo chistó dulcemente y luego con la misma dulzura susurró, Giacomino, Giacomino, mirá lo que hacés. La apelación de Tristán había sido tan tenue que Giacomino no reaccionó, leyó con voz grave, una expresión de pesar complacido, como si lo que leyera confirmara lo que siempre se preguntaba, ¿qué digo? ¿quién soy? ¿qué delirio extravía mi mente?: *¿Quid loquor? ¿aut ubi sum? ¿quae mentem insania mutat?* ¿Qué decís?, preguntó Tristán, alzando involuntariamente la voz ante ese trabalenguas, la bajó en seguida para advertirle sobre lo que más le preocupaba: la olla sobre el fuego. Mirá lo que hacés, Giacomino. Sus movimientos eran tan enérgicos que la olla se agitaba sobre la hornalla y acabaría por salir disparada en vuelo alto o rasante. Sobresaltándose, Giacomino pegó convulsivamente con la cuchara de madera contra las paredes de la olla, la sacó a medias del fuego, pero por suerte no la volcó ni provocó otro tipo de accidente, y luego, una vez que Tristán la puso de nuevo en su lugar, continuó removiendo con menos ímpetu al principio para retomar después, distraídamente, su ritmo anterior. En un momento, sin bajar el libro de la altura de los ojos, miró desilusionado dentro de la olla. No se hace, dijo. ¿Qué?, preguntó Tristán. El dulce de leche. Media hora que revuelvo y revuelvo, pero no pasa nada. ¿Seguiste mi receta? La seguí, dijo Giacomino. Un litro de leche, media cucharadita de bicarbonato. ¿Y el azúcar? ¿Lleva azúcar? ¿Y cómo no va a llevar azúcar si es un dulce? ¡Ah!, dijo Giacomino. Tristán no formuló reproches, sacó la bolsita de azúcar del armario y la volcó en lluvia sobre la leche, tan reducida por el hervor que se formó una pasta grumosa. Fue a la heladera y trajo otro litro de leche, que Giacomino tomaba en cantidades, y lo vertió en la olla. Revolvé, dijo. ¿Se hará? Se hará, afirmó Tristán, y quiso hablarle de sus proyectos, pero Giacomino se opuso terminantemente: No me hablés, dijo, porque temía que le hiciera perder concentración. Continuó removiendo con una mano sin apartar los ojos del libro, de vez en cuando se le escapaba, deleitado, una frase en voz alta. Tristán fue al baño, volvió, comió un pedazo de pan. Al cabo, llamó la atención de Giacomino produciendo ruidos elementales, carraspeó, eructó, terminó por arañarle la manga de la camisa en un roce ligero con las uñas, evitando una interpelación directa en un momento de abstracción que lo hubiera asustado. Mirá, dijo. Giacomino miró dentro de la olla y le brillaron los ojos. Dijo con una sonrisa y como en secreto: Se está espesando. Cuando el dulce tomó punto, el color ambarino, Giacomino gritó: ¡Se hizo!, y pretendió comerlo en seguida. No, se opuso Tristán y Giacomino preguntó por qué con un tono de irritación y ofensa. Lo cociné yo, adujo. ¿Querés quemarte la lengua? ¿No podés esperar? No puedo, contestó Giacomino tristemente.

Se fueron juntos al cuarto, Tristán empujando a Giacomino que se resistía como si intentaran separarlo del objeto de su amor; Tristán se sentó a la mesa y Giacomino se recostó en la cama, fatigado de pronto, el libro apoyado sobre la panza y las manos abrazando el libro. Nos vamos a Córdoba, anunció Tristán alegremente. ¿Adónde?, preguntó Giacomino con repentino interés, ¿a España?, No, a Córdoba de aquí, a la docta, aclaró Tristán. Y le explicó con orgullo cómo era la ciudad, que todos le habían contado que estaba llena de sierras y de ríos con piedras. Empezó a sacar de los bolsillos y a disponer sobre la mesa cantidades de collares que había fabricado N'Bom, amuletos y dijes. Habría un festival, ¿Te gusta el teatro, Giacomino?, y caerían allí curiosos de todos lados, aparte los extravagantes del teatro, y esos curiosos y extravagantes se disputarían los collares, los comprarían a montones, alzando el precio como en los remates. De este comercio tan simple obtendrían plata para vivir sin preocupaciones por un tiempo. La expresión de Giacomino se tornó adusta. ¿La plata no pertenece a N'Bom? La mitad, dijo Tristán. No, le pertenece toda. Tristán suspiró, no hay nada peor que compartir negocios con quien no tiene ni idea. Sin nosotros, argumentó Tristán, ¿qué hace Maruja con los collares? ¿Quién es Maruja?, preguntó Giacomino. N'Bom, dijo Tristán. ¿Y por qué no la llamás N'Bom?, rezongó Giacomino. No es el punto, dijo Tristán, que si algo no quería era explicar las razones que lo habían llevado a bautizarla así, lo que quería era convencer a Giacomino. Sin nosotros, insistió, ¿qué hace ella con los collares? ¿Se los come? Tendremos gastos: el viaje, la pensión, la comida. Y haremos el trabajo bruto, ¿es injusto mitad y mitad? No sé, reconoció Giacomino a regañadientes, sin perder el aire severo. También comemos aquí, ¿y por qué no los vendemos en el barrio?, preguntó. ¿En el barrio?, repitió Tristán con desprecio, ni en el barrio ni en el centro. Hay mucha competencia y la gente está muy amargada, no compra collares, no cree en amuletos. Los hombres menos. Salvo la negrada, ¿viste a algunos con collares? Sólo se atreven con el arito, uno solo, porque si se ponen dos les gritan maricones. Pero allá, en medio de los curiosos y extravagantes, hasta los cordobeses cambiarían, comprarían collares a granel. Obnubilado por su proyecto, Tristán no había consultado a Giacomino, ya había sacado pasajes para el fin de semana, los colocó sobre la mesa. ¿En qué viajaremos?, preguntó Giacomino, deseando que fuera en carruaje con caballos, o calesa amplia como había en su casa, los asientos acolchados para que no le dolieran los huesos. En ómnibus, contestó Tristán. ¿Un viaje largo? ¿En ómnibus?, dijo Giacomino, palideciendo. La primera vez que había subido a uno se había mareado, no aguantaba el ruido, el olor nauseabundo que despedían, el movimiento, había tenido náuseas y vomitado porque cada frenada le precipitaba las vísceras a la boca. Se negó de plano y no hubo modo de persuadirlo. Al día siguiente, le prometió Tristán, devolvería los pasajes, sustituyendo el ómnibus por el tren. El tren es cómodo, dijo, para tranquilizar a Giacomino que aún se mostraba reticente, es rápido, no se sacude, no despide olor. Y adelante, unidos a la locomotora, hay caballos, percherones capaces de arrastrar cualquier cosa. Giacomino dejó el libro a un costado de la cama y se levantó; en la puerta del cuarto se volvió hacia Tristán, los melancólicos ojos celestes iluminados por un destello de broma, el infundio de Tristán le había hecho recordar sus chanzas a Paolina en la infancia, dijo: ¿Creés que soy tonto?, y se fue a comer el dulce de leche.

Partieron de la casa horas antes de la partida del tren. Mejor salir con tiempo de sobra, dijo Tristán, e imaginó que en el trayecto hacia la estación de ferrocarril, que debían realizar forzosamente en ómnibus, no estaba de más prever algún alto a causa de Giacomino. Lo notaba de buen ánimo; antes de partir, había cepillado escrupulosamente su levita y sombrero, había terminado el dulce de leche y se había llenado de café; para mantenerse en forma, dijo.

No obstante las precauciones, llegaron a la estación a las corridas. Ni hablar de un alto en el trayecto: horas clavados en el ómnibus. Era viernes al atardecer y en la ciudad se vivía tal clima de locura, con embotellamientos y bocinazos, que inmediatamente se añoraba el paleolítico. Giacomo se veía pálido y descompuesto, el ómnibus le había producido el efecto de costumbre, agarrado a una columna, vomitó sobre el andén. Recorrieron los vagones hasta encontrar dos asientos libres que no eran acolchados, como había pretendido Giacomino, sino duros y polvorientos. El tren estaba atestado y ante esos pasajeros cuya identidad Tristán reconoció fácilmente, se preguntó con indignación ¿justo hoy se les ocurre viajar? Deseó que no fueran al mismo destino porque entonces el negocio de collares y baratijas sería un desastre, pura pérdida. Eran indios cargados de bártulos y cachivaches, valijas ordinarias de cartón ocupaban los pasillos y el guarda les decía que tenían que sacarlas de allí porque entorpecían el paso, y ellos, habitualmente tan dóciles, protestaban en voz alta, excitados. El guarda, que ya había renunciado a que respetaran la numeración de los asientos, renunció a esto también, se marchó pateando las valijas hasta que tropezó y cayó sobre unas cajas que rompió con su peso. Los indios más cercanos, propietarios de las cajas, se abalanzaron aullando y ante ese malón que lo amenazaba, el guarda terminó de pisotearlas y huyó hacia otro vagón. Ya no volvió a aparecer, ni siquiera para pedir los boletos.

Tristán acomodó una almohada, que había llevado precavidamente, detrás de la espalda de Giacomino, le compró una gaseosa. El asiento de enfrente estaba ocupado por una mujer con una falda colorida que se prolongaba en diagonal hasta el torso, donde quedaba prendida en uno de los hombros mediante un alfiler de gancho, debajo tenía una camiseta blanca. Se cubría la cabeza con un chal de tela finita. Era más flaca que Giacomino, lo que era decir mucho, y lucía esa curiosa marca sobre la frente, entre los ojos, ojos muy grandes y oscuros, de mirar sumiso. En el regazo sostenía una niña de dos o tres años, de aspecto enfebrecido, que lloraría toda la noche, y a su lado, de pie, controlando que no le robaran el asiento, un hombre con los faldones de la camisa afuera, mantenía un diálogo incomprensible, a los gritos, con otro que estaba sentado tres filas adelante y que lo escuchaba con la cabeza vuelta hacia atrás. Qué barullo, pensó Tristán, miró a Giacomino que descansaba exangüe, los ojos cerrados. Tenía tal aspecto de agotamiento que se preguntó si había sido buena la idea de impulsarlo a esa aventura. Se alegró de haber traído la almohada. La mujer sentada enfrente, de mirar sumiso, olía fuertemente a pachulí, en un momento sacó el frasquito y volvió a rociarse. Tristán se precipitó hacia la ventanilla, Giacomino estaba verde, y la abrió. Giacomino respiró ansiosamente, recuperó algún color distinto al verde. La mujer se dirigió a Tristán en una serie de palabras presurosas que él no entendió, atrajo la atención del hombre que seguía conversando a los gritos y le habló con acento de urgencia. Fastidiado, el hombre se volteó hacia Tristán y le tradujo, la niñita se resfriaría con la ventanilla abierta, ¿podría cerrarla?

Asmáticamente, la locomotora arrancó. Se vieron las luces de la ciudad, las más aisladas de los edificios bajos de los suburbios, y luego el paisaje viró al negro, exceptuando contadas ocasiones, cuando el tren atravesaba una estación, corría a lo largo de un pueblo con una plaza inmensa iluminada por dos faroles que sólo servían para entristecer. Los indios empezaron a abrir paquetes con comida; la mujer sentada enfrente abrió el suyo, intentó que la niñita comiera poniéndole en la boca algo que parecía ser arroz, la niñita lloriqueó, escupiendo, y para que no la molestaran escondió el rostro contra el pecho de la madre. Ella le murmuró algunas palabras en el oído, le acarició la cabeza, Tristán encontró su mirada desolada, luego tendió el paquete al hombre, que se había sentado por fin. Él lo desenvolvió del todo, extendió cuidadosamente los papeles grasosos sobre sus rodillas, se llevó la comida a la boca con la punta de los dedos. Cuando casi no quedaba nada, se acordó: tendió los restos a la mujer. Ella volvió a insistir con la niñita y obtuvo el mismo repudio, salvo que esta vez la niñita no escondió el rostro, pegó un grito, pataleando. El hombre rezongó unas palabras de advertencia, por qué ella era tan ineficaz o la niñita tan maleducada, debía ser ambas cosas porque las dos se quedaron tranquilas, muy quietas; después de un rato, la mujer buscó y pescó en los papeles grasosos los granos sueltos y los comió con la mirada oprimida. Tristán sacó una manzana del bolso y se la ofreció a Giacomino, que permanecía en un estado de postración absoluta, las manos unidas sobre la copa del sombrero. Sin abrir los ojos, Giacomino la rechazó, acomodando su almohada. Dispuesto a gratificarse, Tristán la frotó contra la manga e iba a pegarle un mordisco cuando descubrió que la mujer y la niñita lo observaban con una insistencia idéntica en las dos, total y al mismo tiempo inocente. Extendió la manzana con una sonrisa de ofrecimiento. La mujer negó con la cabeza. Entonces Tristán puso la manzana en manos de la niñita, que le dio un pequeño mordisco, lo escupió y dejó caer la manzana al suelo. El hombre gritó brevemente con acento de enojo, y la mujer se inclinó y la recogió después de buscar un instante entre los pies y los trastos. Fue más rápida que Tristán que había efectuado el mismo gesto, limpió la manzana con el borde de su falda y se la entregó al hombre que la devoró en dos bocados.

Me ahogo, susurró Giacomino. Se aflojó el corbatín. Tristán espió a los sentados enfrente, el hombre roncaba, la mujer tenía los ojos cerrados balanceando a la niñita, cuyo lloriqueo era muy débil, casi pasaba desapercibido en el concierto de respiraciones, ronquidos en sube y baja y murmullos de malos sueños. Subrepticiamente, Tristán levantó un poco la ventanilla, penetró un aire puro. La mujer abrió los ojos y miró a Giacomino bajo la luz mortecina del vagón. Tristán creyó que ella protestaría, pero no dijo nada ni despertó al hombre para que lo reprendiera; de un envoltorio de género a sus pies tironeó unos trapos y cubrió a la niñita.

En medio de la noche, el tren se detuvo en una estación abandonada. Los indios se despertaron, llamándose a gritos, y comenzaron a recoger los bártulos, cachivaches y maletas. Así cargados, algunos fueron hacia la derecha y otros hacia la izquierda, y se armó un nudo de no creer en el pasillo. Tristán miró hacia afuera, perplejo. ¿Los indios estaban seguros de que debían descender allí? ¿Quién los había convencido de mudarse a ese paraje? Quiso compartir sus inquietudes con Giacomino, pero no pudo, se había tomado un somnífero y dormía, el sombrero caído sobre el piso del vagón, aprisionado entre una caja y unos paquetes. Sabiendo lo que contaba el sombrero para él, un apéndice infaltable, Tristán se achicó y le hizo lugar sobre el asiento; en esa agitación cualquier pie podía abollarle la copa. Acercó lo más que pudo el rostro a la ventanilla. Eso era el fin del mundo. Sólo se veía la estación abandonada, cuyo nombre era imposible discernir, en un cartel torcido, a medias desprendido de dos postes de madera figuraban unas letras borrosas, y más allá se extendía una superficie uniformemente oscura que debía ser un campo pelado. Forzando la vista hacia la izquierda, muy lejos, vio una especie de galpón.

Los del asiento de enfrente se incorporaron; el hombre, sin mirar hacia atrás, recogió el atado de género, y abriéndose paso a empujones por el pasillo, se dirigió a la salida. La mujer quiso seguirlo, sosteniendo con un brazo a la nenita que lloraba, en otra mano una valija de cartón, pero le faltaron extremidades para el resto. Se le cayeron unas ollas ennegrecidas y con un gesto enloquecido empujó un colchón doblado en dos, atado con una piola, que todo el mundo había pisado en el pasillo. Sin decir palabra, Tristán la retuvo por el brazo y le señaló la ventanilla. Aclaró su propósito efectuando la mímica correspondiente y la mujer tardó un rato en comprender. Confió en él porque asintió con la cabeza, abandonó lo que había cargado, salvo a la niñita, y se deslizó por el pasillo donde ya se presentaban mínimos huecos. Cuando ella apareció sobre el andén, le fue alcanzando las cosas a través de la ventanilla abierta. Ella las tomaba diligentemente con una sola mano y las depositaba a su vera.

Descendió el último de los indios y sonó el silbato del tren. Los indios se agitaban señalando para un lado, para otro, un poco desconcertados; discutieron sin ponerse de acuerdo, algunos, más decididos, caminaron un trecho, deteniéndose de pronto como asustados ante las sombras que se les venían encima; después de tanto revuelo se quedaron inmóviles, en medio del montón de valijas y cachivaches, apenas visibles en la estación que iluminaba una lamparita anémica que se balanceaba al viento. La última imagen de Tristán fue la figura de la mujer mirándolo desde el andén derruido.

Sosteniendo a la nenita, no podía llevarse las manos unidas hasta el rostro para agradecerle la ayuda, pero fue como si lo hiciera, sólo con esa densa mirada. Tristán no alcanzó a decirle que era innecesario agradecimiento alguno porque el tren comenzó a moverse, y a ella y a su destino se los tragó rápidamente la noche.

Cuando Giacomino despertó en el cuarto de la pensión, después de un sueño pesado, Tristán ya se había ido llevándose los collares y amuletos para vender. Del día anterior sólo recordaba la cama sobre la que se había derrumbado en total agotamiento; había yacido el día entero a oscuras, lo que le permitió ignorar los muebles roñosos, la alfombra despellejada que formaba bollos de aire y no alcanzaba para cubrir los extremos del piso cercanos a la pared. Pero esa mañana, apenas depositó los pies en el suelo, Giacomino se dio cuenta de que se había repuesto de las fatigas del viaje, ya le funcionaban las articulaciones, los huesos habían dejado de atormentarlo. Incluso en condiciones de emular a Tristán en la venta de collares, pero con alegría observó que sería imposible: se los había llevado todos. Comió dos naranjas que peló con los dedos, quejándose interiormente de esa tarea fatigosa; se afeitó y alisó empapado de agua su pelo rubio finito que peinó hacia arriba, despejada la frente. Cuando salió a la calle, el sol estaba alto, el día sin viento; caminó lentamente sintiéndose feliz porque nadie lo miraba, era uno más entre la multitud que paseaba ociosa en el mediodía del domingo; si su figura despertaba algún interés, la curiosidad era distinta de la burlona que recibía en el barrio, había simpatía y hasta un vago agradecimiento en las miradas, como si su aspecto estrafalario, endeblez y espalda agobiada incluidas, no fuera fatalidad de la naturaleza sino artificio, astucia y elección del propio Giacomino para regocijarlos en un momento del día. Y este regocijo no contendría humillación ni escarnio, compartirían un juego que inventaría Giacomino para ellos y en el que la joroba, la endeblez, el caminar agitado, la vestimenta, desempeñarían un papel, tendrían su propia, artificial y auténtica necesidad.

La calle era tranquila, sin autos, y desembocaba en una plaza donde una multitud, apiñada en círculo, contemplaba a unos tipos con zancos, anchos pantalones flotantes de color rojo y camisas de vívido azul. Uno de los zancudos amenazaba caerse a cada instante de su bastión de madera y los chicos sentados en la primera fila del círculo reían alborotados con la delicia del susto que se insinuaba y partía. No alcanzaban a proferir una exclamación de miedo cuando ya el deleite los asaltaba. Otros dos zancudos, estorbados por grandes valijas en una mano, simulaban pelearse ferozmente; no se acertaban nunca los puñetazos pero sí los golpes con las valijas que sonaban a hueco, y a cada golpe se doblaban por la mitad, en ángulo recto, lanzando desaforados aullidos. Como trabajaban en la altura, Giacomino bajito, pudo verlos empinándose detrás de la gente; sentía una extraña sensación placentera que no era provocada sólo por los zancudos, se debía también a la ausencia de autos en la plaza, al sol cuyo resplandor no le hería los ojos protegidos con anteojos ahumados, a los viejos edificios que le recordaban vagamente su país natal y en los que podía por fin descansar su mirada después de tanta cosa nueva o nacida miserable. Participaba de una fiesta y por una vez no se sintió ajeno. Después, el espectáculo terminó, la gente prorrumpió en bravos, aplaudió y comenzó a dispersarse detrás de los zancudos que saludaban con los brazos en alto. Giacomino vio el espacio vacío y sin tener conciencia de lo que hacía, penetró en él, y la gente volvió a amontonarse. Aislado allí, en el centro del círculo, parecía más que nunca uno del teatro, con su sombrero de copa alta de felpa, su levita entallada, la camisa cuyo cuello en punta levantaba y sostenía el corbatín de seda oscura, fijado en el nudo de un moñito. Y a esto se agregaba su porte poco común, la espalda torcida y los gestos imprevistos. Buscó un lugar de sombra bajo un árbol, y la gente se movió con él. Se quitó el sombrero y lo depositó cuidadosamente sobre las baldosas de la plaza después de remover con la mano unas basuras y hojas secas que otro movimiento trajo de nuevo a su lugar. Tanteó el cuaderno de tapas verdes en el bolsillo interior de la levita, dudó un momento y sacó finalmente unos papeles arrugados del bolsillo del pantalón. Mientras algunos aplaudían, los acercó a los ojos; no distinguían nada, sólo una mancha confusa. Estiró el brazo con los papeles, lo replegó luego convulsivamente hasta la cara y el envión desensilló los anteojos negros del puente de la nariz. Ah, exclamó Giacomino, cayendo en la cuenta de que era ese invento el que le ensombrecía la lectura. Las letras se dibujaron, no del todo claramente pero apenas si necesitaba algunas como guía, una vez comenzado el trote su memoria corría sola. En lugar de guardar los anteojos en la copa del sombrero, que le ofrecía un recipiente ideal, quizás por excitación nerviosa, los abandonó sobre el suelo para que alguien se los pisara, lo que así sucedió más tarde, cuando un chico, imitando a los zancudos, brincó sobre las lajas; la madre, después del estallido de vidrios, lo asió del brazo y con dos golpes en la cabeza lo devolvió al anonimato. Un pájaro grande, feo como un cuervo, voló desde una cornisa y con tiento se aposentó bien alto en el árbol que daba sombra, los ojos redondos y duros fijos en Giacomino. Abrió un ala, torciéndose en su dirección, como si la usara de oreja. Giacomino leyó para sí las primeras líneas, respiró en profundidad y miró a la multitud, decidido. Registró los rostros, que le parecieron atentos y sensibles, una oleada de calor, de gratitud, le dilató el pecho. Si mi padre me viera, pensó con un ramalazo de orgullo. Si su padre fuera capaz de imaginar en la mansión desierta, sólo visitada por idiotas, a su hijo en una situación tan lisonjera, centro único de interés en esa tierra extraña, ante un público expectante, atornillado al suelo. Si imaginara... pensó y comenzó a leer, dichoso y completamente abstraído en su sueño de gloria. La gente rió un poco, por anticipado porque creyeron que haría un número cómico, luego, al oír la voz de Giacomino, frágil y melodiosa, callaron y pusieron rostros graves. Al rato, los chicos gritaron, aullando que se aburrían, la gente empezó a remover los pies y uno por uno se fueron alejando discretamente. Algunos arrojaron monedas en el sombrero, billetes de poca monta y chapitas de gaseosas. Giacomino alzó la vista de los papeles. La multitud se había hecho humo. Sintió una oleada de cólera, que para su desgracia, nunca venía sola sino con orgullo herido. En ese desierto, una chica y un muchacho sentados en el suelo, los brazos apretados contra el pecho, lo miraban fijamente, inmóviles, la boca entreabierta. Esperó que ellos se levantaran y huyeran, pero no lo hicieron. Cuando dobló los papeles para guardarlos, advirtió que efectuaban un gesto como si pretendiera quitarles el aire. Sin embargo, apretaron más los brazos contra el pecho, inclinando el torso sobre las rodillas. Oyó la voz de la chica, que era de piel muy blanca, rostro de ucraniana, ancho y de pómulos pronunciados, largos cabellos rubios y grasosos cayéndole sobre el cuello. Ella murmuró algo que sonó a lamento, y el muchacho asintió con la cabeza, la confortó con una caricia sobre el hombro. Los dos lo miraban intensamente, las bocas entreabiertas, y en las miradas, como en la voz de la chica, que ahora le hablaba a Giacomino, había un reclamo, casi una súplica. El pájaro, ante la plaza vacía, saltó del árbol con un vuelo torpe y se aposentó sobre el suelo, a poca distancia. Giró la cabeza hacia ambos costados con una atención desconfiada, y luego clavó los ojos en Giacomino, con la misma intensidad de los otros, pero sin súplica. Giacomino, encandilado por la exigencia de la chica y el muchacho, no lo sumó al auditorio. Sólo veía a esos dos que casi no respiraban. ¿Era posible? La cólera y la humillación se borraron. Sonriéndoles, sin necesidad de consultar los papeles, la memoria súbitamente fresca, la voz frágil y melodiosa, Giacomino recomenzó: *O cara luna, al cui tranquillo raggio / Danzan le lepri nelle selve...*

El atardecer los encontró juntos, sentados en un banco de la plaza, Giacomino en el medio. La chica con cara de ucraniana le había pasado el brazo sobre los hombros, el muchacho ofreció cigarrillos. Fumaron los tres, en silencio, contemplando el ir y venir de la gente, la luz que se endulzaba. Recostado en el banco, Giacomino se sentía a gusto, el cuerpo tranquilo, salvo un pequeño movimiento incontrolable del pie que balanceaba en el aire con las piernas cruzadas. Permanecieron en silencio hasta que el muchacho, que hablaba poco, dijo: *Vaghe stelle dell'Orsa...*, sonrió excusándose:

no me acuerdo más, y Giacomino: *...io non credea / Tornare ancor per uso a contemplarvi / Sul paterno giardino scintillanti...*

¡No, no!, gritó la muchacha, poniéndose bruscamente de pie, como asaltada por una amenaza o un dolor. ¡No puedo más! ¡No quiero oír más! Van a matarme. El muchacho rió y Giacomino, después del susto inicial que por un segundo lo dejó alelado, comprendió la razón de los gritos, de esa especie de huida que la muchacha había intentado poniéndose de pie. ¡Qué elogio, Dios mío! Se ruborizó y la miró de soslayo. Basta, dijo ella con voz ronca, el rostro conmovido, un presagio de lágrimas. El muchacho rió nuevamente, con una mano la atrajo hacia el banco, le tomó el rostro por la barbilla y la besó en la boca. Giacomino, que no tenía costumbre de presenciar esas efusiones, se ruborizó más, nerviosamente acarició el sombrero sobre sus rodillas. Los otros por suerte no siguieron, se recostaron contra el respaldo del banco, muy quietos y callados. Había un jacarandá en un extremo de la plaza, flores lilas contra el cielo que se agrisaba, y Giacomino, con la mirada repentinamente presa, pensó que en la próxima carta debía contarle a Paolina de esos árboles. Perdían las hojas cuando comenzaba la primavera y mientras los demás árboles brotaban en yemas, ellos se pelaban inmisericordiosamente, desnudos los troncos y ramas ennegrecidos por el hollín, y sólo entonces, cuando parecía imposible comprender la arbitrariedad de la naturaleza, florecían. Milagro, musitó Giacomino, y la muchacha le preguntó cuál, y hablaron de todos los milagros, que no se referían a curaciones extraordinarias, a intercesiones divinas para el asombro y la gratitud, sino a árboles. El muchacho hizo un gesto de amenaza hacia el pájaro que los había seguido, trasladándose con pasos desequilibrados de sus gruesas patas hasta la proximidad del banco. Saltó alejándose y volvió a posarse en el suelo, se puso a la misma distancia, abrió una de las alas. Es pájaro de mal agüero, dijo el muchacho, batió las manos, ¡Fuera, cuervo!, gritó, y buscó una piedra. Oh, no, rebatió Giacomino, que finalmente había registrado la atención absorta. Quizás el pájaro entendiera, y en el reino animal, como sucedía con los jacarandaes, también se producían milagros. Otros pájaros, sabía, completamente distintos a los conocidos, habían bajado del cielo para servir de modelos a un monje de Fiésole que pintaba en un convento. Se habían quedado quietos en la pose que les marcaba, mostrando placentera obediencia, entendimiento sobrenatural. ¿Y su gallo? Su gallo gigante, con las patas en la tierra y la cresta y el pico en el cielo, que tenía uso de razón, ¿no era un milagro? Amaestrado como un loro, ¿no había aprendido a proferir palabras a imitación de los hombres? ¿No había dejado un Cántico?, quizá repetido de tiempo en tiempo, o todas las mañanas, o bien cantado una sola vez. Un Cántico matinal de gallo silvestre, que los sabios habían recogido, no se sabe si en la verdadera lengua del gallo o en alguna otra. ¿Y no les hablaba el gallo a los hombres, mortales despierten, y no les insistía con la necesidad del sueño, donde brevemente les era consentido el reposo en una semejanza de muerte, no les predecía un tiempo en el que el universo de los hombres, y la naturaleza misma, se apagarían? Qué gallo maldito, dijo la muchacha, y miró con simpatía al pájaro inmóvil, cuyos ojos duros y crueles le parecieron afectuosos. Apoyaba el brazo sobre la espalda de Giacomino y ligeramente descansaba su peso contra él; encendido por su discurso sobre el gallo, Giacomino ya no tenía aspecto de melancólico impenitente, ella veía su joroba y no la veía, mecánicamente la acariciaba con la mano, había vivido en Verona, ¿conocía él Verona? ¿Y cómo podrían conseguir sus libros? No querían olvidar lo que habían escuchado, salvo si la amnesia o la aridez les quitaran el recuerdo mismo de la belleza. Si no tenía libros, ¿podrían sacar fotocopias? Pronto, pronto tendré libros, dijo Giacomino, y lo creía. Los editores estaban persiguiéndolo, lo perseguían ya, peleaban entre ellos disputándose sus poemas, ¿no cra un milagro? Milagro es, reconoció el muchacho, y después de un silencio, como si debiera retribuir de algún modo la belleza que les había regalado Giacomino o quisiera compensarlo por el milagro de los editores persiguiéndolo, que seguramente no se produciría, dijo con voz clara: *entrar entrando adentro de una música al / suicidio al nacimiento.* Giacomino torció la cabeza como el pájaro, le pidió que repitiera esos dos versos tan breves y escuchó gravemente, asintiendo con un movimiento que pegaba la barbilla contra el moño del corbatín. Más, dijo, y el muchacho pensó un momento, rascándose la cabellera frondosa, y recordó: *Que me dejen con mi voz nueva, desconocida. No, no me dejen. Sombría como un* golem *la infancia se ha ido, y la gracia y la disipación de mis dones.* Basta, dijo la chica, otra vez la voz velada, no más. Se había puesto triste porque acusó disimulando con un acento agresivo, casi rencoroso: Para ésa, vale el suicidio, no el nacimiento. ¿Quién es ésa?, preguntó Giacomino. La que escribió *entrar entrando adentro de una música,* dijo ella, y esbozó un gesto de ira. Giacomino la miró con susto, ¿Por qué te enojás?, preguntó, mientras el pájaro, que seguía con un ala extendida como una oreja, se acercaba un poco más y al aposentarse cambió de ala, abriendo la derecha en lugar de la izquierda. ¡No me enojo!, chilló la muchacha, enojada; era un día en el que habían ocurrido tantas cosas fuera de lo común, tan increíblemente intensas, que no deseaba nada más, tal vez un vaso de vino, embriagarse un poco, volver al reducto de lo cotidiano. Luego bajó la voz, no hay que recorrer demasiado las sombras. ¡No hay que!, ¡No hay que!, se burló de ella el muchacho, y al verla furiosa pero entristecida, como si ella recién ahora se diera cuenta de que su infancia también se había ido y bastara perderla para entrar en las sombras, apiadado, mudó el clima bruscamente: con la agilidad de los zancudos, se levantó del banco y emprendió un trote equino golpeándose los flancos con las palmas, chasqueando la lengua, mientras Giacomino lo observaba curiosamente, diciéndose que la reacción de la chica lo había alterado hasta la locura, y el pájaro, aterrorizado, ya que el muchacho se lo había llevado por delante y en su distracción él no lo había visto venir, con un revoloteo de alas emprendía un vuelo corto y chocaba contra un árbol. El muchacho trotó hasta el extremo de la plaza y al regresar de la misma manera se detuvo frente a ellos emitiendo un relincho, y en seguida, con picardía en los ojos y acento campero declamó: *Un paisano del Bragao, / De apelativo Laguna: / Mozo jinetazo ¡ahijuna! / Como creo que no hay otro, / Capaz de llevar un potro / A sofrenarlo en la luna.* ¿Qué te parece?, preguntó con un guiño a Giacomino, ¿te gusta?, y él respondió Sí, pero no entendí mucho, y eso que en el verso estaba la palabra luna con la que él tenía infinita familiaridad y frecuentación. Y como si al muchacho le divirtiera el rostro absorto de Giacomino, sus esfuerzos por comprender, frunciendo el ceño repetía ahijuna, ahijuna, intrigado y con un cómico acento donde la jota cabalgaba dura en la ce, continuó, variando, entremezclando versos según se los dictaba la ocurrencia y su memoria, ahuecando o enronqueciendo la voz de acuerdo al caso: *Es un nido de cóndores andinos, / en cuyo negro seno,* y aquí la voz se tornó solemne y lúgubre, *parece que fermentan las borrascas,* y *Aquí me pongo a cantar / al compás de la vigüela,* y se guitarreaba la panza, y prosiguió después con un poema estúpido, casi un trabalenguas, que le habían asignado para recitar en la fiesta de despedida de la escuela primaria:

Perra de perros decana / y de perras protoperra / paseó por toda la tierra... La muchacha rió, le pegó un sacudón sobre el hombro y entre risas y a empujones lo arrojó sobre el banco: Calláte, dijo. No arruines la tarde, mientras Giacomino, renunciando al ahijuna, repetía para sí: *entrar entrando adentro de una música*... Esas palabras lo desconsolaban y al mismo tiempo le parecían muy hermosas, él siempre se movía serenamente con las palabras aunque hablaran de una espantosa inquietud, y éstas le sonaban como si quien las hubiera escrito estuviera embarcada en palabras de tempestad, las ladrara desde un barco sin retorno. Los dos lo miraron y la chica le pellizcó la mejilla. ¿Qué pensás?, preguntó. El muchacho se levantó, se desperezó en toda su altura, que no era mucha, bostezando con la boca abierta. Se le vieron los dientes, fuertes y blancos. Pegó con ambas manos sobre los muslos, como anunciando que era momento de tomar una decisión, el crepúsculo se había casi transformado en noche, y Giacomino creyó que se despedirían. La felicidad había durado poco, breve el cielo. Pero en cambio, el muchacho se tocó el estómago y dijo, incluyéndolo, ¿nos vamos a comer?

En el mismo atardecer Tristán llegó a la pensión donde paraban. Estaba derrengado después de caminar todo el día con el propósito de vender los collares de N'Bom. También aquí había mucha competencia y la gente no se abalanzaba como había creído para arrebatárselos de las manos. En vano que dijera, los hizo una negra auténtica, se le reían en la cara, y por otra parte, eran casi iguales a otros que vendían muchachos de pelo largo y chicas con faldas multicolores. La única ventaja era que N'Bom tenía un poco más de fantasía al combinar las semillas, pero en desmedro usaba piolín para ensartarlas y no alambre finito. Giacomo aún no había llegado, aunque habían resuelto encontrarse en la pensión al atardecer. Dónde se había metido en esa ciudad extraña que distaba de tener sierras y ríos con piedras; metida en un hoyo, el aire era espeso. Con tal de que no le hubiera agarrado a Giacomino un principio de asfixia, un ataque de ahogos, se preocupó Tristán ante la ausencia. Se lavó la cara y las manos, desenvolvió el paquete con la comida: pan, fiambre ordinario para él, tomates, dos huevos duros y una barrita de chocolate destinados a Giacomino. Dispuso todo sobre la mesita de luz, usando como mantelería el papel. Mientras esperaba, se preparó un sandwich pequeño para entretener el estómago que le protestaba con ruidos de vacío, se durmió un rato sobre la silla. Cuando despertó, la nuca rígida, ya estaba oscuro. Giacomino no había regresado. Se tiró sobre la cama y volvió a dormirse. Durmió tres horas y el hambre lo despertó. Se sentó en la cama, terminó el pan y el fiambre, e incluso agregó por despecho uno de los tomates que había comprado para Giacomino. Después fue al baño ubicado en el corredor y con el fin de asentar la comida, cuya digestión se mostraba rebelde, se tomó un litro de agua. ¿Dónde se había metido Giacomino? En el cuarto, la ventana daba a un pozo de aire y no había modo de avizorar la calle. Cuando cabeceaba de nuevo sobre la silla, oyó en el pasillo unos pasos vacilantes. Abrió la puerta. Giacomino se golpeaba contra las paredes, pintadas al esmalte como en un hospital, no llevaba el corbatín que le sostenía el cuello de la camisa, tenía el sombrero torcido, colocado muy atrás en la cabeza, y la expresión muy feliz. Se sostuvo de la pared. ¿Qué te pasó?, preguntó Tristán, sujetándolo del brazo, mientras Giacomino se quitaba el sombrero y pretendía saludarlo con una amplísima, inesperada reverencia. Tranquilo, dijo Tristán. Ya comí, ya comí, repitió Giacomino con voz tartajosa. Ha sido mag-ní-fi-co, dijo; se largó a hablar en su lengua y Tristán entendió poco y nada de su relato, lo abrazó para que no se despatarrara en el suelo, golpeándole la nuca a palmadas y compartiendo su risa a pesar del enojo de la espera, porque nunca lo había visto tan feliz. Intuyó que Giacomino había tenido su día de gloria, uno de esos días preciosos donde la dicha nos sonríe como si fuera para siempre. La chica y el muchacho lo habían escuchado religiosamente, incluso un pájaro, un gallo silvestre lo había escuchado, había sido invitado a comer, ¿El pájaro?, preguntó Tristán siguiendo la ilación lógica, ¡Yo!, se indignó Giacomino, y chapurreando en una mezcla de lenguas, no sólo las autóctonas de él y de Tristán, sino otras que sonaban totalmente estrafalarias, se explayó en un largo relato que sólo al concluir se adentró en una zona comprensible. Después de comer, la chica y el muchacho lo habían llevado a una casa, una pocilga, una capanna, pero llena de libros, láminas en las paredes, almohadones por el suelo, ¿Por qué no tenemos almohadones?, y de entenderlo, esto hubiera ofendido a Tristán, habían bebido ginebra, esto lo entendió Tristán, ¡A vos no te gusta la ginebra!, gritó, y habían hablado, ¡oh, lo que habían hablado! Estarás conforme, dijo Tristán celosamente, le pasó el brazo bajo los hombros y lo sentó en la cama. Giacomino cayó tumbado de espaldas, con esfuerzo se incorporó sobre un codo. Habló de manera entendible, pero comiéndose las eses más que de costumbre y con más blanda cadencia. No sólo eso, esa larga charla con el muchacho bajito y la chica que había creído ucraniana y se llamaba Ferrari, no sólo eso. ¿Qué más?, inquirió Tristán y se arrepintió en seguida porque ante la pregunta, Giacomino se puso de pie, muy excitado, manteniendo el equilibrio a duras penas. Vacilando sobre sus pies, dio dos pasos y se aferró a un barrote de la cama. En un momento, contó, el muchacho lo había abrazado, besándolo en las mejillas, y se había ido. ¡No vivían juntos!, exclamó con un estupor dichoso. ¿Y?, preguntó Tristán. La sonrisa de Giacomino era tierna, sus ojos brillaban con dulzura. Tristán le pegó en la nuca, riendo. ¿Y?, insistió. Aferrado al barrote de la cama, Giacomino no contestó, sumido en una placidez distraída, vagaba por un lugar distante de esa pieza con bollos de aire en la alfombra, sus ojos volcados hacia quién sabe qué recuerdos que lo alejaban de su habitual melancolía. Después de un momento reaccionó, dijo que el aire puro de esa ciudad le sentaba, podía respirar libremente y hasta los ojos no le escocían ante esa luz clemente. ¿Y?, insistió Tristán, inflexible, pero Giacomino guardó su secreto. Sólo contó, con el rubor invadiendo sus pálidas mejillas, que después del primer brindis de ginebra, la chica y el muchacho le habían ofrecido un regalo porque, dijeron, ¿cómo podrían retribuir el día y la noche de belleza? Se abrió la camisa con expresión de triunfo, y allí, sobre su pecho débil, sobre su vello ralo, lucía un collar de semillas oscuras. Tristán se acercó con la esperanza de que se lo hubiera comprado y fuera uno de los hechos por N'Bom, pero no era. Brillaba el alambre finito.

Estaban sentados a la orilla de la laguna, muy juntos. En el caserío a sus espaldas, las mujeres prendían fuego fuera de las chozas para la comida, los chicos jugaban y los perros, que se habían encariñado con los negros, debían ladrar en sus simulacros de pelea, pero todo estaba sin sonido, o la distancia lo amenguaba, y el silencio auguraba para Tristán esa frase que transformaría la noche. N'Bom estaba triste y Tristán ignoraba los motivos. No podía ser por el fracaso con los collares en los que ella había trabajado durante una semana creyendo como Tristán que su venta les abriría las puertas de la fortuna. La observó diciéndose que ella era nuevita en esto de las decepciones y que tal vez por eso las sufría como catástrofes. Hechas las cuentas, habían regresado pelados, sólo enriquecidos por la experiencia. Pero de experiencias no podía hablarle a N'Bom, que debía haber esperado algo más sustancioso. Oscurecía, les llegó un ladrido aislado en el silencio. Pese a sus esfuerzos, no consiguió arrancarle una palabra y sintió que ella le estaba contagiando su pesadumbre, que a él lo tocaba menos rencorosa y más culpable. Muy pronto, prometió Tristán, cuando consiguiera el primer trabajo, la resarciría; no había motivos para estar triste. Ella desestimó las explicaciones de Tristán con un encogimiento de hombros, ni siquiera preguntó por el viaje ni por la ciudad con sierras y ríos con piedras, menos por Giacomino, que había regresado contento para caer en seguida en otro estado de ánimo, cómo todo pasa, había dicho melancólicamente. De regreso, el tren había seguido de largo por la estación abandonada donde habían descendido los indios; en pleno mediodía, Tristán no alcanzó a ver ni uno, como si se los hubiera tragado la tierra. Le hubiera gustado ver a la mujer de ojos sumisos, la nenita en los brazos, sonriendo frente a una casa con techo de tejas, jardín de verduras y flores. Un perro de raza correteando por el jardín y el hombre con los faldones de la camisa afuera apareciendo desde el interior de la casa con una bandeja cargada de manjares que ofrecía a la mujer. Suspiró largamente; hablando de decepciones él también tenía las suyas. Te devuelvo los collares, dijo, y colocó sobre la falda de N'Bom los que no había logrado vender, y agregó los talismanes de una sola semilla que habían obtenido menos éxito aún. Ella los apartó en seguida, sin echarles una mirada, y los dejó en montón sobre los yuyos. ¿Qué te pasa, Maruja?, preguntó Tristán. Ella acentuó la expresión hosca, de amarga tristeza. No soportaba el nombre y cada vez que la llamaba así simulaba no entender. N'Bom, dijo Tristán, y ella, sin contestar tampoco, como si no aceptara ningún nombre, ni el propio, se estiró el vestido bajo las rodillas, se rodeó el vientre con los brazos. Había mudado de las expectativas al desaliento, no por esa cosa ínfima de los collares sino por una razón tan ajena a sus deseos que no encontraba respuesta distinta del enojo; tenía ganas de pelearse, de golpear a alguien. El sol tocaba los bordes opuestos de la laguna, iluminaba de rojo los altos matorrales. Salió la luna, que seguía siendo la vieja luna inmemorial, sin visitas, sin misterios develados. Tristán dijo con una voz sonora que parecía no pertenecerle: *Dulce y clara es la noche, y sin viento...*

¿Y qué más?, preguntó ella. ¿Qué más?, repitió Tristán. No sé. Alguna vez se le ocurriría la frase siguiente, ésa y otras, podrían ser dos, cuatro, muchísimas, quién sabe, o (¡si no era poeta!), alguien se las murmuraría en el oído, una presencia cercana e invisible, una voz frágil y melodiosa. En un susurro, como quien otorga un regalo que es un secreto, quiso contarle a Maruja todo lo que entonces acontecería. El sol había desaparecido, la laguna estaba inmóvil y plateada bajo la luz de la luna, un negro en canoa intentaba pescar.

N'Bom, que debió sentir la dulzura repentina de la noche, apoyó el rostro en el hombro de Tristán y se quedó quieta, mientras Tristán le contaba el poder mágico de esas palabras, ejercido sobre la noche solamente hasta que el resto del poema lo ejerciera también sobre los seres y las cosas. Ella no le prestó atención porque no formuló comentarios, cuando de oírlo, debería haber saltado de alegría, reído y llorado al mismo tiempo en esas conjunciones donde el exceso de felicidad provoca llanto; suspiró tan solo, después tomó la mano de Tristán y la condujo a su vientre. Entonces Tristán comprendió la razón de la pesadumbre en ese rostro que, hasta ese día, había registrado emociones de muchacha dispuesta a la curiosidad y al júbilo. El vientre de N'Bom, y la llamó N'Bom en su fuero interno y no Maruja, abultaba bajo el vestido. Tenía una redondez tensa. Oh, oh, dijo Tristán, y ella lo miró con expresión malévola, separándose. ¿De qué te asombrás?, preguntó. Habló con voz ronca y envejecida. Un bebé, dijo Tristán. Un bebé, repitió ella, remedándolo, la boca torcida en una mueca de desprecio. ¿Es del Quejoso?, preguntó Tristán. Ella se encogió de hombros porque no lo sabía. Sólo sabía que en su choza comían mejor que en otras, ella tenía ya dos vestidos, un bolso, unas sandalias de plástico. ¿Querés casarte conmigo?, preguntó Tristán, tirando piedritas a la laguna, porque pensó que el ofrecimiento la tranquilizaría y a él tanto le daba. La idea de una mujer y un bebé aumentando la familia en un momento decididamente paupérrimo no lo exaltaba de entusiasmo, ¿y qué pasaría con Giacomino?, pero no soportaba la expresión amarga y rencorosa de N'Bom. Ya se vería, y repitió la pregunta, evitando mirarla. Ella, en cambio, lo observó con un destello de interés que se apagó en seguida. Tanto le daba a Tristán casarse con ella o con un poste, no era rico, vestía de descosidos, remiendos y gastados. Para colmo, ni siquiera la amaba. Si la hubiera amado, y algo se acongojó en su interior, le habría formulado la propuesta con voz tierna, mirándola a los ojos. Y ella quizás hubiera olvidado el resto. En cambio, tiraba piedritas a la laguna, caían con un ruido apenas perceptible, cristalino. Se casaría llevándola a su casa de un solo cuarto, o sin mudanza, la abandonaría en su choza porque, ¿qué haría con el estrafalario que había acogido por caridad? Era un estúpido, decidió hostilmente. Un pobre que nunca saldría de pobre. ¿Y qué significaba casamiento? En su tribu adornaban a la novia con flores trenzadas, por una vez comían hasta hartarse, bailaban a la luz de las hogueras. Después se acababa la fiesta para siempre. Veía a las mujeres del barrio, más gordas, con una gordura blanda, pero también feas, envejecidas, tan cargadas de preocupaciones que no había lugar para la felicidad o la gracia. Ella se había prometido otro destino al pisar por primera vez el pavimento. Estaba furiosa consigo misma. Lo tiraré a la laguna, dijo, al bebé, y Tristán palideció, se le cortó la voz en la garganta. Ella le sonrió, ablandada. Estúpido, dijo, se lo dejaré a mi madre, y sonrió cínicamente, ya ni conozco a mis hermanos de tantos como son, ella parirá hasta morir, una preñez tras otra, pero yo nunca más caeré en la trampa. Calló un instante. Sintió que la furia la abandonaba. ¿Qué era lo que dijiste sobre la noche?, preguntó bruscamente. Tristán no contestó, se levantó sacudiéndose los pantalones, un largo rato alisó el suelo con el pie. Oyeron gritos a lo lejos; unos negros discutían airadamente y cuando Tristán miró llegaban a las manos. Entre puñetazos y empujones, uno de los negros cayó sobre el fuego de la comida y la marmita rodó, dispersando líquidos y grasas. Un alarido se alzó más alto que los gritos. No contento con esto, el otro corrió a buscar un garrote y persiguió al quemado entre las chozas.

Vamos, dijo Tristán; la luna se escondió del todo tras unas nubes espesas, comenzaba a hacer frío.

Querido Giacomo:

¿Cómo son las mujeres en ese lugar donde estás? Las imagino libres y hermosas, con vestidos de colores claros, jamás el negro, movidas por una alta pasión que las hace felices, incluso en el dolor. Casadas, tendrán hijos con júbilo porque estarán rodeados de amor en un lugar clemente donde el despertar nunca es daño. Ah, Giacomuccio, sólo puedo imaginar a esas mujeres, tan distintas de tu Paolina como el día de la noche. Y podrán ser así porque los hombres tampoco serán como yo los conozco, de corazón tan mezquino. Los hombres que conozco no valen la pena de que nosotras, las mujeres, suspiremos por ellos. Ahora y aquí, cómo nos tratan, cómo nos desprecian apenas les revelamos que no hemos permanecido impasibles ante sus protestas de atención. Saben bien el mal que nos causan, y no sólo no se duelen sino que parten más alegres y triunfantes. Y bien, yo también los desprecio, como le escribí a Nina, que a pesar de su carácter alegre ha sufrido mucho, debemos mostrarles que nuestra infelicidad no es tanta como ellos suponen y protegernos guardándonos de prestar fe a sus palabras. Oh, es necesario probar mucho tiempo a los hombres antes de atreverse a creerlos dignos de nuestro amor, pero para nuestro infortunio el corazón humano es impenetrable y nosotras, pobres mujeres, resultamos casi siempre engañadas y ni siquiera nos está permitido quejarnos abiertamente y acusarlos de iniquidad porque ¡tienen el derecho de hacer todo! A nadie deben rendir cuentas; traicionan fácilmente y si nosotras procediéramos así sería en oprobio y desmedro, mientras que en ustedes es mérito de la naturaleza. Digo ustedes, Giacomuccio, pero sé que al incluirte entre ellos sin reconocer diferencias cometo involuntariamente un agravio. Debieras estar en otro territorio (y quizás estés) donde el engaño —*también* el mutuo engaño— sea fatalidad del corazón y no hiriente capricho, donde decir hombre o mujer signifique otra cosa, con un sentido que todavía se me escapa pero menos cargado de injusticia.

El mundo no es tan bello como lo prometen los libros, ¿no es verdad, Giacomuccio? Las mujeres entramos plenas de confianza en la vida, esperando encontrar un mundo delicioso, seguras de hallar un corazón que nos ame, pero el amor puro y celeste, como creíamos existía y que nosotras merecemos porque estamos preparadas a responderlo con ardor en espíritu y virtud, en nada inferiores a esos seres afortunados que nos pintan haber encontrado la felicidad sobre la tierra, ese amor no existe. Cómo nos costó darnos cuenta de que ese mundo delicioso era en realidad un lugar erizado de espinas, lleno de enemigos, en el cual no basta estar inmóvil para no sufrir; entonces, adiós esperanzas, adiós sueños queridos de nuestros primeros años; fue preciso mudar de pensamientos, prepararse a combatir siempre, a cada instante, y sobre todo permanecer en guardia ante nosotras mismas para no cambiar nuestra naturaleza, para no transformarnos en lo opuesto de lo que éramos.

Por Dios, no me aconsejes que me case. ¡No lo haré nunca! Me niego a salir de esta prisión para caer en otra, y además, no quiero, aunque los sepa perdidos, renunciar a los sueños hermosos y justos (donde los hombres fueron la parte más frágil). Justos, ¿entendés, Giacomino? No es palabra que debiera estar en mi boca referida a mis sueños, y sin embargo, está. En esta época que nuestro padre juzga de decadencia y que yo considero acomodaticia y cruel, todo el mundo renuncia fácilmente a sus sueños. Yo no quiero hacerlo, Giacomuccio. Al contrario, quiero que se construyan furiosos, rebeldes, imposibles. Rebajarlos es rebajar todavía más la realidad. No firmaré la muerte de mis sueños, aunque se hayan ido, porque la única manera de que vuelvan es soñarlos de nuevo. Todavía hay pájaros, árboles, países que no conozco, y estás vos, Giacomuccio.

Las firmas no sólo condenan los sueños, también les dan cauce. ¿Quiere firmar?, preguntó el Quejoso, que esa mañana de domingo había hecho una aparición temprana frente a la casa de Tristán, cuando aún todo el mundo dormía. Qué bien, pensó Tristán, que ni siquiera había tenido tiempo de tomar unos mates, lamentando que la urgencia del Quejoso transformara el despertar en daño. Sin disculparse, el Quejoso dijo: Estamos todos, y le colocó la hoja en las manos. Qué bien, repitió Tristán, esta vez en voz alta; la hoja arrancada de un cuaderno estaba llena de firmas, por lo general torpes, aunque había algunas más sueltas, con rúbricas impresionantes; advirtió también borrones de dedos, el pulgar en número preferencial, y simples cruces. Por fin el barrio había despertado de la inercia individualista, se congratuló Tristán, nada más fuerte que un deseo compartido, pero, ¿cómo se comparten los deseos con tanta diversidad de opiniones? La hoja manoseada demostraba, no obstante, que se había producido el milagro. Cuando Tristán estaba a punto de preguntar sobre la naturaleza del mismo, que desgraciadamente en este caso no se referiría a pájaros y menos a árboles, el Quejoso dijo que la unión hace la fuerza, y en abono de su demanda de autógrafo habló de los negros: eran sucios, podían traer epidemias, se atrevían ya a transitar libremente por el barrio y los chicos se encandilaban con las tetas de las negras, que todavía algunas que no se acomodaban a mantenerlas ocultas y dos por tres eran llevadas a la comisaría, donde alborotaban con lamentos salidos del fondo de la garganta, como si las degollaran o violaran, cosa esto último que en ocasiones sucedía. Los vecinos habían decidido enfrentar tantas contrariedades y el primer paso era la recolección de firmas. ¿Para qué?, preguntó Tristán. Para levantar un muro, explicó el Quejoso con el acento de quien se dirige a un infradotado, los separaría de los negros, incluyendo a los indios que apenas si eran mejores, aunque ninguna de sus mujeres mostrara las tetas al aire. El muro de Berlín se cayó en el '89, dijo Tristán. ¡Y así les fue!, contestó el Quejoso que no era tan ignorante como aparentaba. No debe mezclarse el agua y el aceite, la mugre con lo limpio. No, no debe mezclarse, asintió Tristán dócilmente, pensando qué tenía que ver agua, aceite y demás con los negros. Si tenían pestes, era de tanto bañarse en la laguna. Firme, Don. La tranquilidad del barrio dependía de marcar límites con la negrada, un muro alto rematado con alambre de púa o vidrios cortantes. Esto la mantendría a raya. ¡Madre mía!, exclamó Tristán, y el Quejoso creyó oír una expresión de elogio, y al creerlo se inflamó más y discurrió con mayor convicción. Pretendían que la municipalidad colaborara con un camión de ladrillos y unas bolsas de cemento; construir el muro, que daría vueltas como un laberinto perdido, tapiando las chozas de los negros, no les llevaría más que el trabajo voluntario de una mañana de domingo. ¿No está bien pensado?, dijo el Quejoso, mostrándose entusiasta, e incluso orgulloso porque como albañil reconocido él iba a ser director de obra. ¿Por qué no piden un dispensario?, preguntó Tristán. Y el Quejoso lo miró enojado. ¿Usted tiene hijos? No. ¿Yo tengo hijos? No. Sólo la negrada tiene hijos a montones.

Se olvidaba de las mujeres del barrio, pero Tristán le reconoció una parte de razón: hasta N'Bom había parido. Al observar el embarazo, el Quejoso había entrado en pánico, de pronto recordó que tenía parientes en Santa Fe y que los extrañaba como a criaturas amadas. Cuando regresó, a los nueve meses, se le habían hundido los ojos y exhibía una expresión inquieta. Había rondado por el caserío de negros hasta que un día escondido detrás de unas matas, espió a N'Bom y al recién nacido que no era blanco ni café con leche como había temido sino negro retinto, con motas acaracoladas y labios gruesos; y esta comprobación le sacó un peso de encima. Volvió a amar a N'Bom como antes, con sentimientos todavía más intensos, pero ella ya no accedía con la misma frecuencia a sus requerimientos de que lo visitara en su casa o donde a ella le viniera en gana; despreciaba sus regalos y decía: es poco. Trabajaba como un burro sin conseguir nunca colmar sus ambiciones, la negrita se había vuelto insaciable. De cualquier modo, él persistía. En otro orden, lo hacía incluso con Tristán, que escuchaba sus quejas apoyándose en un pie, en el otro, y si estaban lejos lo arrastraba hacia su casa, señalándola con una acusación que involucraba al mundo. Ya no había llanura, descampado a la vista; quedaba más atrás de las chozas de los negros bajitos que aprovechando su ausencia habían multiplicado las construcciones. ¿Cómo frenar la invasión? Un muro pondría límites y si era bastante alto podría quitarles el sol y el aire. Quien intentara saltarlo, se amputaría con los vidrios o quedaría incrustado en las púas del alambre, una de dos porque todavía no habían decidido qué resultaría más estético.

Para un muro no firmo, dijo Tristán. El Quejoso le golpeó el pecho con un índice grueso como una barreta. Usted se lo pierde, Don. No se lamente después. Cuando el Quejoso se alejaba a grandes pasos vigorizados por la ira, a Tristán se le ocurrió una idea salvadora. Corrió tras él y el Quejoso volvió un rostro ablandado porque creyó que Tristán había desistido de su rechazo. Pero la idea de Tristán era otra, se le había ocurrido que el Quejoso no había considerado que Maruja, ¿o N'Bom?, dudaba en cómo llamarla, quedaría dentro del muro. ¿Cómo la vería? ¿Por arriba de los vidrios? ¿Montado en una escalera? La fascinación del Quejoso por ella había derrumbado todos los muros, y uno de ladrillos, ¿qué le haría?, pensó Tristán a último momento, pero ya había formulado la pregunta. El enamoramiento del Quejoso, salvo durante el pánico del embarazo, se concentraba en un ser que no tenía pertenencia alguna, y esta falta de pertenencia le había permitido amarla y al mismo tiempo odiar a su tribu. El muro, con referencia a la negrita, no existía, era invisible; ella nunca lo habitaría porque quien ama intensamente traslada el objeto de su amor a su propio territorio, aunque sea el de la angustia.

¿La negrita?, dijo el Quejoso, el rostro ensombrecido, los rasgos tirantes como si hubiera enflaquecido de golpe. Esa se fue. ¿No lo sabía? Había partido llevándose el bolso, sus vestidos, las sandalias de plástico y otras chucherías más. Sólo había dejado al negrito, tan oscuro y conformado como negro que en absoluto el Quejoso debía sentirse aludido, y si bien esto le había quitado un peso de encima, lo agobiaba ahora inexplicablemente. Se fue, insistió, mirando a Tristán que se había quedado alelado; agitó la hoja con un gesto resentido, la sonrisa agriada. Tan agriada de tristeza que en este momento se impone rectificar: para trasladar el objeto del amor hay que saber dónde está, y es obvio que el Quejoso lo ignoraba.

¿Se fue?, repitió Tristán. ¿Y adónde? No sé, contestó el Quejoso, y Tristán se apoyó con firmeza sobre sus pies, convencido de que tendría para rato, horas y horas; incluso se le arruinaría la noche porque la frase que la transfiguraba no acudiría a su mente que terminaría completamente abombada por la catarata verbal de rezongos, lamentos y gemidos; el Quejoso discurriría interminablemente sobre sus desventuras que, como de costumbre, serían de lo más insólitas y variadas, pero esta vez él lo oiría dispuesto, casi solidario. Y en un punto, quizás al amanecer del día siguiente, afloraría la queja precisa sobre la inesperada ausencia o abandono de la negrita, que no se había despedido de nadie, ni siquiera de Tristán. Dijo: Qué lástima, creyendo que no hablaba por propia desilusión sino para darle pie al Quejoso que necesitaba desahogarse. Recordó a N'Bom con el negrito recién nacido, le había llevado flores y ella se había limitado a sonreír como diciendo qué estúpido. Qué lástima, repitió, con un tono indeciso.

Los minutos pasaron. El Quejoso tomó aire y abrió la boca, pronto súbitamente a obedecer aquel viejo impulso plañidero que hacía huir en desbandada a los vecinos. Tristán aprobó con la cabeza, si tenía que abombarse que fuera ya. No había desayunado, y Giacomino, que dormía hasta tarde, no lo rescataría. Se entregó a su destino. El Quejoso, para sorpresa de Tristán, en lugar de lanzarse transformó bruscamente su boca en una línea dura, tan cerrada que parecía que ya no hablaría nunca, de nada. Miró a la distancia por encima del hombro de Tristán, los rasgos rígidos por el dolor, en total, inverosímil silencio. Dejó caer las hojas con las firmas, después la recogió sin un sonido, y se alejó como si todo el mundo, no sólo él, hubiera enmudecido.

Tristán suspiró. El Quejoso desapareció en la esquina, la cabeza hundida entre los hombros. El suspiro no era de conmiseración sino de alivio. Atravesó el patio con la presunción de que por fin podría tomarse unos mates, pero se equivocaba, su deseo estaba destinado a sufrir otra postergación, lo que generalmente ocurre, sean los deseos mínimos o profundos. Antes de entrar en la cocina, intuyó una presencia extraña en los alrededores; alzó los ojos y se detuvo en seco. Un pájaro grande, parado en la cornisa que bordeaba las paredes, lo contemplaba desde lo alto con ojos fríos y duros. Era horrible a pesar de la categoría alada, pequeña cabeza sin proporción con el resto, lúgubre plumaje, el pico fuerte, las patas amarillentas de gruesas uñas. ¿De dónde había salido?, se preguntó Tristán, que sólo había visto canarios en jaula, palomas, gorriones en el patio, algunas parejas de teros cerca de la laguna y una tarde de verano un colibrí suspendido en el aire. Este era feo como un cuervo, parado inmóvil tenía un aspecto maléfico, y en un acto de superstición Tristán cruzó los dedos y evitó pasar en sus proximidades para entrar en la cocina. Con un revuelo de plumas, una agitación negra, el pájaro quiso tomar altura, pero al contrario, la perdió, inició un vuelo torpe, sobrevoló la cabeza de Tristán y luego cayó a plomo sobre él. Ay, gritó Tristán, sacándose el bulto de encima con un rechazo de manos; retrocedió hacia la pared. Cuando el pájaro tocó el suelo, derrumbado de costado, intentó levantarse moviendo frenéticamente las alas que parecían de tela, o al menos sin nervaduras. Finalmente renunció, quiso meter las patas bajo el cuerpo pero no le dieron las fuerzas, se quedó quieto, respirando con fatiga, sin cesar de mirarlo con los ojos atentos, fríos y duros. Tristán avanzó una mano con precaución y le lanzó un picotazo tan débil que no alcanzó ni siquiera a rozarla. Tristán se acuclilló a su lado, no tenía ninguna experiencia avícola, pero pensó que estaba a punto de, ¿morir, expirar?, ¿qué término se usa para los pájaros?, sólo se le agitaba el buche. ¿Qué hago con vos?, le preguntó Tristán. ¿Te dejo y me voy a tomar mate? La mañana del domingo se anunciaba pésima, primero el Quejoso con la pretensión de que firmara para construir el muro, idea que sólo podía surgir de una mente extraviada, luego la ingratitud de N'Bom que había partido sin despedirse ni dejar señas, y ahora este pájaro exánime. Fue a buscar un trapo de piso seco, lo extendió sobre las baldosas y esta vez el pájaro permitió que lo tocara. Lo levantó del suelo con una leve resistencia de asco, un amasijo húmedo que de pronto se puso a palpitar con un estremecimiento de plumas, de carne, de huesos, y lo depositó sobre el trapo. Tristán trasladó el trapo, cama, camilla, bajo la protección del alero, le secó las plumas. Luego regresó a la cocina, miró con deseo la pava y el mate, y llenó un platito con agua. ¿Qué comían los pájaros? Éste, bien lo veía, necesitaba algún reconstituyente. ¿Qué comían, semillas, lombrices? ¿Dónde las conseguiría? La tierra de la maceta del patio estaba dura como cemento, no tenía una lombriz ni por milagro. Seguramente habría lombrices cerca de la laguna, las semillas podría pedírselas a algún negro de la tribu de N'Bom, lástima haberle devuelto a ella los collares, y recordó que Giacomino llevaba uno colgado del cuello, bajo la camisa, pero desechó la idea, había sido confeccionado con semillas demasiado grandes y el pájaro no estaba para atragantarse. En la urgencia, vertió leche en un platito y descorazonó un pan de la miga. Cuando volvió, el pájaro alzó el cuello y lo torció en dirección a Tristán con la pretensión de controlar sus movimientos; exhausto lo dobló contra el buche. Tristán amasó un poco de miga, la embebió en leche, y con cautela le abrió el pico. El pájaro tragó. El buche se le agitó como un vendaval. Tristán repitió la operación y el pájaro fue tragando, los mismos ojos duros y fríos, apenas menos desconfiados.

Cuando Giacomino despertó al mediodía, Tristán, con el mate en la mano, contó: Tenemos un pájaro en el patio, negro, horrible. Será el pájaro de Córdoba, dijo Giacomino, y Tristán rió: Sí, vino en tren, y después calló. El pájaro estaba exhausto como después de un largo viaje sin alimento ni reposo. Había volado bajo la lluvia o bajo el rocío, había atravesado leguas y leguas con una obsesión misteriosa en su cabecita de pájaro. ¿Era posible? Se encaminaron los dos hacia el patio mientras Giacomino aseguraba que en las migraciones los pájaros atravesaban continentes y Tristán dudaba. Es el mismo, confirmó Giacomino. ¡No me digas!, se admiró Tristán. ¿Y qué quiere? Observó que el platito con agua estaba vacío y el de leche, mediado. Cuando vio a Giacomino, el pájaro enderezó el cuello, se levantó dificultosamente sobre las patas, dio unos pasos torpes, mal equilibrados, y luego se quedó firme. La expresión de Giacomino se entristeció. Para él las mañanas eran inalterablemente ominosas, y hubiera preferido no ver al pájaro que le traía emociones pasadas. Experimentó la melancolía después del día de fiesta, recordó la felicidad apenas entrevista en esa ciudad con ríos y sierras. Desvió la vista sin una palabra y se fue al cuarto, intentó dormirse de nuevo, las manos sobre el pecho, como un muerto.

Apenas desapareció Giacomino, el pájaro, que se sostenía con un esfuerzo del orgullo, se vino abajo, le temblaron las patas y cayó sobre las baldosas. Tristán lo alzó, con menos resistencia y más familiaridad, y lo depositó sobre el trapo de piso que estaba seco y caliente. Le acarició las plumas y el pájaro se dejó acariciar. En el reparto de la belleza no había resultado agraciado, aunque en cánones de belleza que ignoramos quizás fuera un pavo real, un cisne. Quizás, pensó Tristán con escepticismo. Le acomodó la cola, mísera y todavía más oscura, y se dirigió a la cocina para calentar otra pava de agua; esa mañana, por tanta espera posiblemente, sus tripas estaban sedientas, como de un deseo de absoluto. Oyó antes un sonido agudo y metálico que lo sobresaltó tanto que casi resbaló en el escalón de la cocina. El pájaro graznó otra vez. Como había sucedido con la mujer perdida de vista una noche en una estación desierta, tampoco en este caso era necesario el agradecimiento. Sí, sí, dijo Tristán, sé que me agradecés. No hace falta. Después te traigo más leche.

El Quejoso no volvió a aparecer ante Tristán exigiéndole que colaborara con su firma para construir el muro, y esto quizá cuántas toneladas de resentimiento acumulaba. Tristán no se inquietó, tenía otras preocupaciones. El pájaro se acostumbró a beber leche, a comer miga de pan, y más tarde se procuró por su cuenta semillas, lombrices y alguna fruta para completar el menú. Las palomas ralearon, pero Tristán adjudicó el hecho a palomares confortables y lejanos que las seducían, a migraciones como decía Giacomino, aunque cuando estaba de malhumor culpaba a los negros, cuyas costumbres culinarias no le hacían asco a nada. Cuando el pájaro se repuso, estableció su hogar en un extremo de la cornisa, y Tristán, a decir verdad, hubiera preferido una presencia menos sombría, con un poco más de color. Que el Quejoso no hubiera insistido ante Tristán no significaba que había renunciado al proyecto; mientras Tristán se ocupaba de Giacomino, del pájaro, de trabajar esporádicamente en lo que podía, el mundo seguía su marcha y el muro se concretaba. Finalmente habían terminado por construirlo los negros, qué extraño, porque si alguna utilidad o intención tenía era de carácter separatista. Los vecinos del barrio los habían convocado para una mañana de domingo, después de una feroz discusión que excluyó del convite a los negros bajitos. El Quejoso los consideraba pigmeos que sólo servían para saltar entre los árboles, aunque en realidad nunca los había visto trepar ni siquiera un escalón. En modo alguno deseaba ahorrarles la bella sorpresa que les depararía el muro ya construido: no podrían dar un paso, se les tapiaría el horizonte. ¿Querían civilización? Pues la tendrían. Su odio se encarnizaba en este caso porque no podía perdonarles que le hubieran ocupado la llanura que antes se extendía sin obstáculos desde su casa hasta el río. Por lo demás, los negros bajitos, salvo en estatura, en nada se diferenciaban de los negros altos que habían sido aceptados, la misma piel pigmentada, los mismos labios bulbosos donde resaltaba la blancura de los dientes cuando los había, idénticas costumbres de muchos hijos y comida escasa. Algunos vecinos adujeron que por su proximidad con la tierra serían particularmente aptos para cavar los cimientos, pero el Quejoso amenazó con su renuncia y este fue un argumento contundente e inclinó la balanza a su favor. Los más sagaces ya habían dado marcha atrás, comprendieron el error que significaba invitar indiscriminadamente: se amontonaría tal multitud de negros, altos y bajos, que al trabajar se incordiarían, perdiendo tiempo en lugar de ganarlo. Sin embargo, los indios también fueron convocados para la misma mañana y en esta oportunidad, quizá porque estaban muy reducidos en número después de que la mayoría había sido convencida de trasladarse al desierto o porque el razonamiento coherente suele ser de una fugacidad apabullante, el acuerdo entre los vecinos había sido perfecto. Los indios contestaron con mucha inclinación de cabeza, con mucha unión de las palmas llevándolas a la altura de los ojos como si se sintieran honrados por la invitación y la agradecieran profundamente, pero no habían aparecido. A la inversa de los negros, que se atrevían a recorrer las calles del barrio y cuyas mujeres trabajaban de sirvientas, ellos seguían manteniéndose aparte, con sus propias costumbres, las mujeres caminando detrás de los hombres, yendo cada tanto al río que ya se apestaba en sus riberas, como lo había hecho el otro, el Grande, que había decidido desaparecer tragándose la tierra. Los vecinos se encogieron de hombros ante la deserción, prefirieron dejarlos en paz; la mayoría había partido discretamente y los que habían quedado no eran barulleros como los negros con sus tambores sino callados y dóciles. Si alborotaban alguna vez, lo hacían en lejanía, en sus propios reductos y cuando el viento soplaba en dirección opuesta al barrio. No era por altivez que no habían aparecido sino por alguna costumbre rara que les prohibía tocar el cemento. De cualquier manera, aun aislándose y reducidos en número, no vivían muy tranquilos tampoco: entre ellos había unos de turbante enrollado que odiaban a quienes no lo usaban, y dos por tres se armaban broncas que terminaban en casas arrasadas, cuchilladas y muerte. A los que no usaban turbante, más les hubiera convenido partir como los otros a un destino incierto, en lugar de permanecer en los aledaños del barrio. Era cuestión de tiempo: esos desaparecerían solos, afirmaba el Quejoso, que había vuelto a hablar pero no con la soltura verborrágica de otros tiempos. Mantenía una impensable cuota de reserva y se limitaba a comentarios de esa clase, que anunciaban desgracias ajenas, ya no las propias.

Cuando los negros altos se presentaron con puntualidad en esa mañana de domingo —conocían la hora por la luz, por el tipo de nubosidad en los días sin sol—, los vecinos les enseñaron a preparar la mezcla y a usar la cuchara de albañil. Como retribución, habían cocinado una olla de polenta, muy picante, que la negrada comió al mediodía sin demasiado gusto. La polenta, dura y apenas tibia, se les pegaba en los dientes, les fraguaba en el paladar. Pero en términos generales, se notaba que los negros estaban contentos de trabajar en el barrio, donde fueron acogidos amistosamente, para participar en una obra en común con esos mismos vecinos que siempre les habían dado guerra y que ahora se mostraban amables hasta lo increíble. Les formulaban indicaciones precisas mientras se pasaban el mate. Otra hilada más, mantené la pared derecha, negro de mierda. No tenían buen vocabulario, los vecinos, pero podían ejercerlo impunemente, los negros entendían más los gestos que las palabras, y los insultos eran proferidos como bromas secretas, con risas, acopio de palmadas sobre los lomos que transpiraban removiendo el plastrón, cavando cimientos, levantando el muro, un ladrillo tras otro.

Al atardecer, el muro estaba casi listo y los negros, derrengados. No era una construcción en línea recta, ni tampoco un círculo o rectángulo encerrando en su perímetro las chozas de los negros, como habían deseado inicialmente, menos un laberinto en cuya compleja arquitectura se extraviaran los negros para siempre; al concluirse, el muro marcó una separación caprichosa, a veces pegada al caserío, a veces alejada por cuadras, segregando algún terreno, algún montón de basura. El Quejoso, que se consideraba director de obra y se había apropiado del título, distaba de ser el mismo, de a ratos sólo pensaba en N'Bom y actuaba con desacierto, veía el hueco de los cimientos y creía que era su tumba, se le alteraba el color y obligaba a los negros a cubrirlo nuevamente, y tampoco los vecinos lo ayudaron; después de ese comienzo de indicaciones precisas se distrajeron pasándose el mate, charlando de fútbol o de mujeres, embrollaron a los negros con indicaciones contradictorias: andá para allá, para aquí, para cualquier lado, no fastidiés, negro imbécil, se fueron a comer y a dormir la siesta, y cuando reaparecieron se habían terminado los ladrillos y el muro también, abruptamente. Tomando el mate de la tarde, esperaron la desbandada de los negros para concluir los últimos detalles que, por una especie de alevoso pudor o tardío orgullo, juzgaron que les correspondía. Como habían renunciado a comprar el alambre de púa, cada uno fue a su casa para aportar de los cachivaches del fondo todo lo que era de vidrio: botellas vacías, paneles de ventanas rotas. Quebraron alegremente las botellas contra el canto de las veredas y así obtuvieron fragmentos afilados y cortantes que ensartarían sobre el muro, empezando por su recorrido más próximo. En cuanto a los negros, sólo cuando les indicaron que podían marcharse, se dieron cuenta de qué modo habían empleado el día. Quisieron retornar a sus chozas y no había paso cercano. Se volvieron hacia los vecinos con expresión desconcertada y ellos, ansiosos por emprenderla con los vidrios, la mezcla se endurecía, los emplazaron a que caminaran, golpeando las palmas de las manos y ahuyentándolos a gritos. Algunos recuperaron viejos insultos que habían creído casi olvidados, proferidos en la infancia, y que reciclaron con fortuna, agregándoles rimas, asociaciones felices. Sin embargo, a pesar de las voces y ademanes, sólo sentían en realidad una leve irritación, fingían más bien la gravedad del enojo, ya que los negros eran duros de mollera y si usaban modos correctos podía insumirles horas hacerles entender que debían desaparecer del mapa. Les arrojaron cascotes y las botellas sobrantes. Los negros arrearon a sus chicos que los habían acompañado llenos de expectativas, algunas colmadas porque una mujer bondadosa había repartido galletitas dulces y media docena de caramelos al promediar la tarde. Los chicos que no habían entrado en el reparto mostraban expresión desalentada. Los negros tomaron en brazos a los que se habían dormido sobre la vereda, sobre el barro de los cimientos, y empezaron a caminar bordeando el muro hasta encontrar un lugar donde la falta de ladrillos lo había reducido a dos hiladas. Hacia el costado y detrás de las chozas de los negros bajitos, se mantenía el descampado, del lado opuesto se avizoraba el agua oscura de la laguna que al atardecer adensaba. Los negros la contemplaron un instante, como recuperando fuerzas antes de emprender el camino, el paso tardo por la fatiga. Las mujeres encendían el fuego frente a las chozas, los acosaron a preguntas. Ellos se mantuvieron en silencio, les entregaron los chicos dormidos. Se sentaron luego sobre la tierra, con el estómago vacío después de la polenta del mediodía y con el vago sentimiento de que algo les había salido mal.

Querido Giacomo:

Un imbécil, circunspecto y solemne, escribirá de mí —¡también de mí escribirán, Giacomuccio! (¡ay!, no por mérito propio que no tengo sino por ser tu hermana)— asegurando que la hermosura debía ser uno de mis dones; según él, de faltarme, no hubieras cantado la potencia misteriosa de la belleza femenina. Como decir: si mi hermana es fea, todas las mujeres lo son, y a la inversa. Vaya deducción tan tonta. Quizás hablaste en tus poemas de las mujeres de ese lugar donde estás; allí las mujeres deben de ser altas y gráciles, de rasgos armoniosos, piel blanca, largos cabellos rubios. A pesar de la presunción del imbécil, en esos poemas no te referías a mí. Sabés bien que nuestra madre no tuvo tiempo de hacer sacrificios a las Gracias antes de su parto; grávida de siete meses cayó por las escaleras y yo me apresuré a aparecer súbitamente para gozar de este bello mundo, del que ahora, con el mismo apresuramiento, me dispondría a salir si pudiera. Te confieso, oh mi dilecto Giacomo, por si lo olvidaste, que Paolina Leopardi no es bastante grande, no es gorda, no tiene la piel blanca, ni cabellos rubios, no tiene ojos claros ni rostro alargado, no tiene boca grande, ni nariz larga —al contrario, la nariz, ¡ah!, quizá por la urgencia mía en salir o porque mamá tenía malos ejemplos delante de los ojos (como dice), mi nariz desgraciada se asemeja a la del Rosselano en tiempos de Solimán Segundo. Ves que con tantas cosas negativas no es demasiado agradable dibujar el propio retrato, pero prefiero ser la que soy ante el espejo que usufructuar por contaminación una belleza que pertenece a otras mujeres. Madre nos humilló tanto con nuestros defectos, y no obstante, aquello que me resta es el orgullo de mi fealdad. Además ni siquiera me duelo demasiado, Giacomo mío, porque vivo sin cuerpo. Creo estar muerta desde hace mucho tiempo; cuando perdí toda esperanza después de haber esperado tanto e inútilmente, entonces morí—ahora me parece haberme vuelto cadáver, y que me queda sólo el alma, también ella medio muerta, ya que está privada de sensaciones de cualquier clase. Y sin embargo, mi alma medio muerta, cuando vislumbra la posibilidad de salir de la prisión de esta casa, vieras cómo vuelve a renacer. (De otro modo, no te confiaría mis penas tan abiertamente, Giacomuccio.) Me escribió Nina Brighenti que está con su familia de vacaciones en el norte, en un lugar ameno donde emprende largos paseos por los bosquecillos, al claro de luna. Imagino, Giacomo, una visita más imprevista, casi como una aparición entre los árboles dormidos bajo la luz diáfana y quieta de la luna, esa luz que apenas conozco más allá del jardín de nuestra casa. Oh, cómo quisiera ir a gozar de todo eso, llegar y sorprender a mi amiga cuando ella, abstraída en los más dulces sueños, se va a pasear una noche al claro de luna entre los bosques o a lo largo de las murallas junto al río. Y si su mente se fijase por un instante en su Paolina y un suspiro indicara el disgusto por tener tan lejos a aquella de quien es tan vivamente amada, una sombra entonces se aproximaría, y el cuerpo que anima esa sombra se arrojaría entre sus brazos, y cuando la emoción le permitiera hablar, aquí estoy, diría, ¡soy yo! Y entonces,

Giacomo, comenzaría una vida que no vivo más desde hace tanto tiempo, entonces comenzarían los dulces razonamientos, las explicaciones, las confidencias y los relatos: y más tarde, después de compartir un largo paseo, ella me presentaría a los suyos, dejándoles adivinar quién era la que venía a sentarse a la mesa como una hija más; y ya puedo imaginarme cómo papá Brighenti me saltaría al cuello, o yo primero saltaría al suyo, y lloraríamos juntos al repetir un nombre que será siempre nuestro dolor.

¡Dios mío, Giacomuccio! ¿Cuál es este nombre? Los sueños acumulan poder ante la realidad, ¿por qué la realidad me asusta como si no soñara bastante? Derivo hacia las sombras. Temo por los que quiero (y si me escribieras con más frecuencia, temería menos). Que sea mi nombre el que se repita llorando, ningún otro. Me he desviado hacia presunciones de un futuro que está en manos de Dios. No te enviaré esta carta, Giacomuccio. Esas mujeres que te rondan, fácilmente te harán olvidar a tu Paolina.

¡Tristán!, dijo la negrita y a Tristán le costó reconocerla. Se había planchado el pelo, usaba buena ropa y tacos altos, y en esa calle del centro llamaba la atención como una estrella de cine, un poco exótica. Ella lo miró con ojos tiernos. Se le colgó del brazo, lo invitó a ir a su casa, pero no entremos juntos, y Tristán sospechó que no era para guardar las formas sino porque su aspecto la avergonzaba. Dicho y hecho, en principio se descolgó del brazo que había asido en un arranque de afecto, y luego, a medida que se aproximaban a la casa, desvió el rostro hablando con la pared y aumentó la distancia, de tal manera que ante un observador desprevenido tanto podían marchar juntos como no. Si iban juntos, se conocían apenas, estaban peleados o él la fastidiaba. En la puerta, la negrita ya había perdido toda familiaridad con Tristán, lo consideró con ojos inseguros, casi aprensivos. Ya no lo conocía —había olvidado el primer encuentro cuando le aconsejó que hirviera el agua que podía contener peste, las charlas junto a la laguna, la enseñanza de la lengua. Entrá por ahí, dijo, señalándole una puerta pequeña de hierro, a la vuelta de la entrada principal que se abría, ésta sí, a un vestíbulo imponente, mármoles, plantas artificiales más verídicas de las que crecían en la selva, visibles desde la calle a través de paneles de vidrio, que brillaban sin ninguna mancha, impresión de dedos o suciedades de moscas. Ella se fue volando, con tanta rapidez que pareció traspasar los paneles de vidrio, y cuando Tristán la vio desaparecer por esa puerta, dudó en concretar la visita o regresar a su casa, donde cualquiera entraba con libertad, hasta los ladrones. Pero quizá la negrita no había querido humillarlo, quizá se movía ella en tal maraña de humillaciones que se confundía. El portero, sobresaltándolo, salió de la nada a su encuentro; se le plantó delante, los ojitos peores que los del pájaro, duros y desconfiados. Le preguntó adónde iba. Tristán contestó como ella lo había aleccionado previamente, venía a componer un televisor, y precisó marca, año de fabricación y deterioro. No lo convenció del todo porque consultó a la negrita por teléfono mientras controlaba sus movimientos, lentamente colgó el tubo. Al fin le permitió el paso; sin desarrugar el ceño, le señaló un ascensor chiquito y le dijo: No ensucie. El ascensor subía y subía.

Se detuvo silenciosamente. Cuando tocó el timbre y ella abrió de inmediato, se encontró en una cocina. Ella lo tomó de la mano y lo apartó de la puerta de servicio, conduciéndolo a través de pasillos y habitaciones hasta la puerta misma del departamento, ¿y por qué no me hizo entrar por aquí?, se preguntó Tristán, ociosamente porque sabía la respuesta. Desde la sólida puerta cerrada a sus espaldas, él descubrió un panorama de holgura, alfombras, gruesas cortinas y mesitas con cachivaches. N'Bom, que había recuperado su mirada tierna, con una excitación que la aproximaba a la que había sido, lo guió por el departamento como si él fuera a comprarlo: habitaciones y dependencias, baño, cocina, balcones sobre la calle todo a lo largo de las ventanas. Se le antojó que la expresión de Tristán no era bastante entusiasta, entonces enumeró, como si Tristán fuera también ciego o tonto: la cama enorme con colcha de raso, la bañadera con sistema de hidromasaje, y hay más, hay más, decía, mostrando el mismo gesto de incredulidad feliz que le había provocado la aparición del agua en el caño torcido. Mirá, señaló: azulejos hasta el techo, heladera, televisor, aire acondicionado y estufa. ¿Él podía creer que todo le perteneciera, fuera suyo? Lo que realmente la ponía fuera de sí en estallidos de alegría no era el aire acondicionado, que nunca usaba, sino la estufa, encendida hasta el tope a pesar de los días ya cálidos de ese mes de setiembre. Y el calor sofocante de ese departamento reconcilió un poco a Tristán con la negrita, y en su fuero interno la llamó N'Bom, porque por lo menos esa necesidad de su cuerpo la unía a sus raíces, y fugazmente Maruja porque esa N'Bom no era enemiga de su recuerdo. Para el resto le parecía completamente desarraigada. No sabía si era por la voz insistente de N'Bom o por tanto lujo nunca visto, a Tristán los ojos le giraban en las órbitas, mareado. ¿Tomamos una copa?, dijo

N'Bom como la estrella de una película, y le sirvió whisky en vasos anchos y bajos. Tristán bebió un sorbo y lo encontró amargo, estaba acostumbrado a la ginebra. Ella le dijo Sentáte y le señaló un sofá tapizado en imitación terciopelo que desbordaba de almohadones, vuelvo en un instante, y desapareció en el dormitorio. Tristán creía que iba a preguntar por su tribu, por el niño que le cuidaba la madre, por el estado general de las cosas, el aspecto de la laguna o las sombras de la tarde, esperaba una alusión sangrienta sobre el Quejoso que la había iniciado en ese camino de las gratificaciones, e incluso hubiera soportado con ánimo sereno un comentario desdeñoso que afectara a Giacomino, pero ella había invitado con whisky y rajado después al dormitorio. Se sentó sin saber dónde poner los pies, pisar esa alfombra era una profanación. Ella reapareció al rato esparciendo vaharadas de perfume. Se había mudado de ropa y lucía un vestido de noche, tan abierto en la falda que cada vez que daba un paso brotaban desnudas las piernas hasta el muslo. Se dejó caer a su lado, respirándole el cuello. Tristán se decidió a pisar la alfombra, resbaló sobre los almohadones y cuando se acomodó, aprovechó para separarse porque de tan juntos no podía observarle el rostro. Con ese pelo planchado ella podía ser cualquiera; miró con atención pero no descubrió una mota. Era tan distinta de la que había conocido que si no fuera por la piel oscura que hasta se le antojaba más clara, habría pensado que estaba con otra mujer, una mujer avisada de todas las trampas de la existencia. Sin embargo, suspiró intensamente tratando de preparase para responder a todo lo que por fin ella preguntaría, su tribu junto a la laguna y todo el resto. Y él debería explicar, con un acento animoso que le amenguara la congoja, los cambios de geografía, las desgracias —a los negros los diezmaba el sarampión—, el muro que habían hecho construir los vecinos y que no servía para nada, se entraba y se salía igual, sólo que daba más trabajo. Le contaría sobre el pájaro que seguía a Giacomino por todas partes sin que Giacomino le prestara atención. Ella preguntaría ¿cómo está la gente?, y él empezaría por el pájaro, que era un personaje curioso, para iniciar un relato que forzosamente tendría que adensarse. Pero ella dijo: Yo siempre tuve una debilidad por vos, ¿no lo sabías? Era sincera, aunque modulaba en una cuerda de fingimiento, la voz sonaba demasiado sedosa. ¿A quién se dirigía hablando así? Tristán clavó los ojos en su cuerpo, que seguía espléndido, como en aquel día cuando había aparecido por la pequeña entrada de la choza, los senos desnudos, sosteniendo un balde de plástico. Y sin embargo, había cambiado tanto que no podía llamarla Maruja, según la había bautizado, y en su fuero interno intentaba llamarla N'Bom, y tampoco este nombre le iba. Me llamo Vanessa, dijo ella como si hubiera sabido que él pensaba en un nombre, ¿te gusta?, y le guió la mano hacia la solidez de sus senos. Tristán hubiera querido amarla. Pero sentía que el amor no reconoce propuestas, él ya había amado profundamente y no se pueden tener muchos grandes amores en la vida, uno, dos a lo sumo, y la cuenta está hecha. Y en esos grandes amores, la felicidad o la desdicha tenían poco que ver. Uno podía ser agraciado por una o castigado por otra, pero no era eso lo que contaba. Se vivían simplemente, y la cuenta está hecha, repitió. Los labios húmedos de N'Bom le rozaban la oreja, sintió ávidas mordeduras, el contacto de la lengua. Apretó el seno y su redondez perfecta, y antes de que la propia agitación de su cuerpo le arrebatara la claridad, retiró la mano; él no sabía vivir ligeramente, o quizá no le daba el cuero para más amores de los que había tenido. El brazo de N'Bom se alzó hasta tocarle la cara y Tristán observó una herida púrpura que se deslizaba hacia el codo. Con un dedo apartó el escote. Los senos espléndidos estaban marcados por moretones, pellizcos, y en esa zona el marrón de la carne, que se le había antojado más clara, se hacía azulado. Ella tuvo una sonrisa incómoda. Estás muy silencioso, dijo. ¿Otro whisky?, y Tristán negó, señalando su vaso. No lo bebí, no me gusta. Ella rió con una risa afectada, de asombro ficticio. ¿No te gusta el whisky?, preguntó, como si él hubiera dicho que no le gustaba despertarse a la mañana (sin embargo, todo despertar es daño) o ver el cielo de noche, iluminado por las estrellas o la luna.

¿Sabés?, dijo Tristán, y se interrumpió, falto de palabras. Cómo contarle otra vez, si antes no lo había escuchado, que cada tanto tenía poder sobre la noche por imperio de una frase perfecta. Quizás, quién pudiera predecirlo exactamente, si lograba completar lo que seguía a esa frase perfecta, pero trunca, pronunciada por arranque de inspiración o porque alguien se la susurraba en el oído, ella danzaría desnuda a la luz de una hoguera. Recuperaría el cuerpo, la piel oscura, las motas densas, la tierna e inocente voluptuosidad. Se movería al compás de un tum-tum de tambores cerca del fuego, cerca del cielo estrellado y la luna, más bella y libre de lo que nunca había sido. Y nadie arruinaría la fiesta.

Sonó el teléfono, ella atendió protegiendo el tubo con la mano, como si temiera que se escapara un sonido; sólo contestó: Sí. Bebió luego hasta vaciar su vaso, Espero una visita, dijo. Ya me voy, se apresuró Tristán. Por esta puerta, señaló ella con un embate de generosidad o de culpa. No, salgo por la otra, dijo Tristán y se dirigió a la puerta de servicio sin perderse a lo largo de los corredores, mientras ella, a sus espaldas, atraía su atención sobre un florero, una cortina, las alfombras. Su voz fue perdiendo entusiasmo, terminó por callar.

En la puerta lo llamó. Se miraron un momento, y Tristán esperó, las preguntas llegarían finalmente, y él silenciaría los infortunios con la simple intención de evitarle congojas. Le diría su poder sobre la noche y tal vez podrían estar juntos, sentados al borde de la laguna, hasta que la frase viniera para transformarla. Tristán, susurró ella, y no agregó otra palabra, quizás sospechando del sonido de su voz, que se había vuelto triste.

Hay mujeres libres como el viento. Así son mis amigas, Nina y Mariana Brighenti. Me cuentan que van a fiestas, alternan con personas agradables, bailan en salones iluminados como en pleno día. Viajan de una ciudad a otra, aclaman a Mariana de un teatro a otro. Jamás he viajado, jamás la he oído cantar. Nina pasea por los bosques al claro de luna, y yo nunca compartí ni compartiré un paseo. Mi destino, forjado en sombras, es tan distinto... ¿Por qué, Giacomuccio? Les escribo de noche, cuando todos están sumidos en el primer sueño y la casa se atreve a hablar (madre no puede impedirlo), con crujidos de puertas, lamentos de maderas. Sebastián, nuestro viejo maestro, ha terminado por ser mi aliado: me lleva a la oficina de correos las cartas que le confío a escondidas y me trae las respuestas, que ya no vienen dirigidas a mi nombre y a nuestra casa, sino a la suya y a su nombre. Madre me ha prohibido todo contacto con mis amigas, es tal su celo e intolerancia que no puede sufrir que yo haga amistad con alguien ni que alguien me escriba; ver un sobre dirigido a mí le resulta insoportable, no lo consentiría ni aunque me fuera enviado por su Santo protector.

Esta correspondencia secreta es lo único que tengo. Aparte las cartas que te escribo, las que te mando y las que no te mando por razones mías (¡secreto también, Giacomuccio!). En cinco años —y serán muchos más— nuestros padres no han descubierto que me levanto de noche y me encierro en la biblioteca a escribirles. Me protege la misma rigidez de sus costumbres. Salvo que alguna agonía convoque a madre fuera de casa, cuando se acuestan cierran la puerta de su cuarto y es para siempre.

Verdad a medias es decirte que esta correspondencia secreta con mis amigas es lo único que tengo; me pertenecen también los infinitos disimulos que me permiten vivir, aunque hay días en que vivir es lo que menos deseo. Cada control de nuestra madre provoca en mí el nacimiento de una respuesta subrepticia, invisible a sus ojos que taladran; ella que tiene una única verdad que todos deben compartir —la de su religión seca y sin efecto—, engendra mentiras a granel. ¿Qué pueden hacer los débiles sino mentir?

Hace poco, Mariana me escribió que vendrían a Fermo, tan cerca de nuestro pueblo. ¡Oh, mi excitación, Giacomino! Qué oportunidad preciosa para encontrarnos, conocernos por fin. A través de sus cartas, sé cómo es Mariana: activa, alegre, de ojos pardos (grises son los de Nina). Pero ignoro todo también: mirada, timbre de voz, gestos. Le escribí: "con una mínima parte de aquella libertad que gozan todos aquellos que viven, gozaría al menos un momento de la inefable alegría que ustedes, oh, mis queridas, me harían probar: pero no me atrevo a confesar el rigidísimo sistema de observación bajo el cual me mantienen, y que me hace estar segura de que no voy a encontrar paz salvo en...". Ya comprenderás dónde, Giacomuccio.

Me preparé mentalmente para pedirle permiso a nuestra madre. Sabía que la decisión partiría de ella; nuestro padre finge consultarla pero en realidad espera su parecer y lo acata agradecidamente, aunque el suyo tal vez fuera distinto; en ocasiones, él autorizaría algún pequeño placer, estoy segura; sin embargo, siempre prefiere provocar mi tristeza antes que enfrentar el enojo de nuestra madre. Cuando yo era chiquita, chiquita, o quizás ni siquiera había nacido, se dio el caso de que las faldas de mamá se enredaran entre las piernas de nuestro padre, no sé cómo. Y bien, desde entonces él no pudo soltarse. Si no fuera por esto, habríamos obtenido todo de papá, que es realmente bueno, de óptimo corazón, y nos quiere tanto, pero le falta el coraje de enfrentar la trompa de mamá, incluso por una cosa sin importancia, mientras tiene aquel de enfrentar la nuestra muy seguido. Qué opinas, Adelaide, pregunta desde su altura, y ella baja la cabeza como honrada e intimidada por la consulta, aprieta el rosario entre las manos y deja caer su veredicto, relámpago que fulmina, hacha que abate. Palabra por palabra tejí la urdimbre de una mentira par la verdad de mi deseo. No le hablaría de las cosas que distraen de Dios según su juicio (como si Dios no amara ser *distraído*, no amara que sus criaturas le consintieran un momento sin preocupaciones, yéndose inocentes a pacer por su cuenta las yerbas de la tierra, cómo Dios va a ser tan mezquino, tan celoso, éste rió y se olvidó de Mí, ésta cantó y se olvidó de Mí). Pero del Dios de madre fingiría no distraerme. Fraguaría una historia de infortunios con relación a Mariana, adversidades, duelos y contratiempos que me tendrían sin cuidado ya que en este mundo el padecimiento es nuestra gracia. De esto me alegraría piadosamente incluso, inquietándome por ella sin embargo: no por amistad, que obedecí tus órdenes y ya no soy su amiga, madre, sino por el debilitamiento de su fe. De esa fe que vacila soy responsable ante Dios, debería ser soporte, y con mi presencia (aquí cerca, en Fermo), con el ejemplo de todo lo que me enseñaste, madre, la traeré al redil: ella aceptará y agradecerá finalmente el castigo de Dios por haber cantado, por haber reído. Déjame auxiliarla, madre, la vestiré de negro, juntas en misa, juntas en vísperas, la convenceré de cortar a ras sus cabellos, de caminar con las manos entrelazadas y el cuello torcido (¡como nosotros, Giacomuccio!). Y a esta mentira, agregaría el fingimiento, ninguna pasión, mostraría desgano, renuencia incluso a cumplir lo que debía ser mi deber ante esa criatura que se precipitaba en el error y la impiedad. Entonces madre accedería a que las viera y yo disfrutaría al menos un momento de la inefable alegría que nunca probé y fuera de su vigilancia constante tendría mi ínfima parte de esa libertad que todos gozan por el simple hecho de vivir. Ella me despertó al amanecer, la vi vestida rigurosamente de negro como de costumbre (si se vistiera de blanco, el blanco no aguantaría su lobreguez, cuajaría inmediatamente en gris, en negro), con grandes ojeras y ojos enrojecidos de una prolongada vigilia. No se había acostado, había permanecido la noche entera en una cabaña de nuestros campesinos, velando a dos niños enfermos de tifus. La criada que la había acompañado no se sostenía en pie, pero ella, tan resistente, no lo advirtió, la envió a sus tareas, las aumentó incluso ordenándole que después de cumplidas, regresara a la cabaña en medio del campo llevando a los campesinos una marmita de sopa y dos panes. La gente debe comer, dijo, pensando en todo. Vuelve para decir si la familia se prepara para la misa de difuntos, si los encontraste rezando. Los niños habían muerto durante la noche, y algo se heló en mí, se congeló definitivamente al contemplarla. La vi *victoriosa*. Había ejecutado todos los gestos de la solidaridad, había hecho llamar al médico y comprado de su bolsillo las medicinas, había cambiado los paños húmedos sobre las frentes transpiradas sin permitirse un descanso, anticipando y superando los cuidados de los padres, pero ahora, que los niños habían muerto, estaba feliz. Salvo las ojeras, no había trazas de fatiga en ella, los ojos le brillaban entre las estrías de sangre con un ardor triunfante y hasta vindicativo. Dios había llamado a los inocentes a su seno; no los veía exangües, pétreos, helados en su palidez marmórea, los veía alzados y sonrientes junto a Dios. Y si esos niños habían sufrido, no lo había percibido en modo alguno; llantos, gemidos, balbuceos, estertores de agonía, nada había escuchado. Si una de las criaturas había encontrado su mirada, la infantil incomprensión ante el dolor, tan semejante a la de los animales (las ovejas, las cabras heridas, ¿te acordás, Giacomuccio?, mirando con unos ojos de incomprensión absoluta por lo que sentían), no tuvo en ella respuesta, fisura alguna de piedad (¡tómame en brazos, madre!). Ya tranquila, con un celo impaciente, Vamos a rezar por los niños, dijo, golpeando con la punta de su botín en el suelo. Y antes del desayuno, nos arrodillamos las dos sobre las baldosas, y se unieron los sirvientes y nuestro padre, y rezamos. Después nos sentamos a la mesa, salvo ella que sólo humedeció sus labios con agua, concedió su ayuno a los inocentes, que hubieran debido morir *antes* para ser todavía más inocentes. No se acostó (ni dejó acostar a la criada); con su aire de alegría oculta, de tétrica voluptuosidad (¡perdonáme, Giacomino, esta palabra!), dio las órdenes del día, ayudó a vaciar los armarios de ropa blanca para una limpieza a fondo, señaló una platería ligeramente empañada, se retiró al escritorio para revisar las cuentas. La oí clamar por el atraso de un arrendatario que, de resultas de un accidente, había estado impedido mucho tiempo. Desplegó una actividad enérgica, se la veía fresca y descansada no obstante las ojeras, como si de la agonía de los niños hubiera extraído grandes fuerzas, la vitalidad de una mujer joven y fuerte. Yo la seguía como la sombra que ella quiere que sea. ¿Cómo pedirle que me permitiera viajar al pueblo vecino? ¿Cómo podía contarle que no había interrumpido mi amistad con Mariana y Nina sino que la mantenía secreta? Mi excusa de "salvación de alma" me pareció inconsistente, tan frágil que no podría sostenerla un instante. Y como vive en la sospecha, tampoco la creería. Sin embargo, me atreví. Oh, nada dije de mi discurso tan cuidadosamente preparado. Con la voz floja de una niña de siete años (que hubiera debido también morir *antes*) supliqué, Estarán en el pueblo vecino, me gustaría conocerlas, madre. Ella se levantó de su escritorio, me hizo sentar en su lugar, colocó una hoja de papel ante mí, me entregó la pluma. Escribe, ordenó. Y antes de escribir, ya supe lo que iba a dictarme. No era ocasión propicia para conocernos; nunca habría ocasión propicia, ni aunque vinieran a nuestro pueblo, ni en la iglesia ni desde una ventana hubiera podido cambiar una mirada con ellas.

Así es madre, Giacomo, y así es la vida que llevo. Ciertamente, a nadie le deseo el mal, pero si tuviera odio por alguien, no tendría corazón para desearle una vida como la mía, despojada de cualquier clase de esperanza, salvo aquella de marcharme pronto de este mundo. No tenés idea de cuánto se puede sufrir en una prisión como ésta, en una región horrenda y odiosa, en este pueblo donde la maledicencia se cultiva como el más preciado de los frutos, sin tener ningún recuerdo agradable del pasado, con un presente que mata, y con la amenaza de un futuro desolador. No, no es posible que tengas una idea porque al menos me creerías que no se puede vivir de este modo. Y sin embargo, yo vivo en esta atmósfera (que no pudiste soportar), con un corazón ardiente, siempre obligado a enfriarse, con un alma que nació sensible pero a la que la maldad de los hombres y la experiencia de la vida ha vuelto torpe y dura, vivo pero a veces no sé si aún estoy viva o no, e infinitas veces quisiera no estarlo. No sabés cómo envidio a mis amigas. Llevan una vida *posible* incluso para mí. ¡Oh, sí, las envidio! las envidio sin malevolencia, con amor, que es peor que envidiar con odio, me parece. El odio nos sostiene, nos acoraza en su furia, ¿pero el amor? El amor no nos concede nada, es el sentimiento con menos derechos del universo. Las cartas a mis amigas, y las que te escribo, Giacomuccio, son mi única posesión, el único gesto que responde a lo que necesito, el único movimiento espontáneo de mi alma. Padre sigue editando su revista donde critica a todo el mundo por falta de religiosidad (¡incluso al Papa!), afirma que sin mi ayuda hubiera debido abandonar la empresa. Apenas recibe los libros y periódicos franceses a los que está suscripto, me los encomienda, leo y señalo todo aquello que pueda interesarle, los artículos que refutan los sofismas y errores de la impiedad, de ese espíritu de rebelión que amenaza nuestra época; se los traduzco para su revista con un celo y desinterés que me reconoce, repito con adhesión sus historias tan simples, inmutables: los de arriba deben permanecer arriba, los de abajo, abajo, ninguna mezcla, ninguna modificación que altere mínimamente este orden. Y cuando estoy con él, trabajando para él, mi amor y respeto filial forman mi pensamiento, pienso como él, mi piedad por los desventurados recorre el camino de la limosna que no compromete, la obediencia de los campesinos me vuelve benévola, la menor protesta, dura e intransigente, y no sé, nunca sabré qué hubiera pensado por mi cuenta. ¿Qué mujeres lo sabrán alguna vez? ¿Cómo serán? Sólo a través de mis amigas lo imagino. Morirán nuestros padres y seré libre. Podré viajar a Roma, a Florencia, quizás a ese mundo que ni siquiera oí nombrar. Pero esa libertad, que durará doce años hasta mi muerte, no me servirá de nada, Giacomuccio. La vida ya habrá pasado y no haré más que contemplar desde lejos, como ajena, esa libertad que no me gané. ¿Fui una hija ejemplar o sólo una mujer tonta?

Giacomino tenía el ceño fruncido, rostro de oscuridad. Había puesto una manta doblada en dos sobre la mesa y planchaba unas hojas de papel que debía haber arrugado en un ataque de nervios. Más suavemente, dijo Tristán, porque Giacomino manejaba la plancha con avances tan bruscos que la punta no tardaría en perforar la hoja. ¿Te escribió Paolina?, preguntó; en la mañana, antes de ir al trabajo, había visto a un costado de la mesa un sobre alargado de correo aéreo con estampillas color sepia. Me escribió, dijo Giacomino escuetamente. Arrastró una silla junto a la ventana y se sentó, balanceándose de adelante hacia atrás, contemplando la calle con la misma expresión oscurecida. Tristán desenchufó la plancha y se acercó; había chicos que corrían y perros que ladraban, un hombre empujaba un carrito colmado de cartones. ¿Ves esa calle?, señaló Tristán, queriendo contarle que durante la noche, si acudía a su memoria el verso que la transfiguraba, la calle misma sería toda dulzura y tranquilidad. Pero Giacomino, mordiéndose los labios, no evidenció señales de haberlo oído. ¿Puedo leer la carta?, preguntó Tristán, y confundiendo el silencio con tácita autorización, asió las hojas todavía tibias. Enfrentó la letra patas de mosca de Giacomino y las dejó otra vez sobre la mesa. Con lo que escribía Giacomino, que era de genio abundante, se mostraba muy discreto, no así con lo que escribía Paolina; se volvía loco por leer sus cartas, por tener un contacto más directo, la imaginaba alta y esplendorosa, un poco como había sido N'Bom, pero en blanco. Alguna mala noticia debía contener la carta, el relato de un problema familiar o una perrada de la madre, porque de otro modo no se explicaba la cara de noche de Giacomino —noche sin transfiguración— que no era la de habitual melancolía poblada de los males vastos e infinitos del mundo. Tristán sacó del bolsillo una tableta de chocolate que se había ablandado por el calor, los bordes deformados casi fundidos. Se la presentó, tocándole el hombro ligeramente, y Giacomino saltó de la silla y pegó un grito, alterado. Luego, su rostro se iluminó fugazmente. ¿Para mí?, preguntó. Para vos, dijo Tristán. ¿Qué hacés?, preguntó Giacomino con alarma. Tristán trasladaba la tableta de chocolate a la heladera con la pretensión de que Giacomino mordiera una sustancia sólida y no una pasta para desdentados. En media hora se endurece, dijo con el chocolate en alto. No, no, se opuso Giacomino, a quien el tiempo se le dilataba inconmensurablemente ante cualquier golosina que de inmediato no pudiera llevarse a la boca. Si después las comía de modo escalonado, era otro asunto, decisión suya y no ajena. Rompió el papel y convidó a Tristán que sólo aceptó una barrita que le pegoteó los dedos. Es todo tuyo, dijo. Giacomino sonrió y dividió el chocolate en dos partes, quizá para que le durara más. Llevó una parte a la mesa, pero no insistió con el ofrecimiento. Empezó a comer la otra lentamente, los ojos dulcificados, como si Tristán le hubiera traído algo más que un chocolate comprado en el quiosco de la esquina. Esto ya lo había percibido Tristán, cualquier fruslería, sobre todo si era para comer, Giacomino la agradecía profundamente, y ante ese agradecimiento, él se esmeraba con una inclinación protectora, como si lo aguardara un niño ansioso en lugar de un hombre hecho y derecho. Había descubierto que Giacomino era goloso, como para no descubrirlo con su afición al dulce de leche y si gastaba medio quilo de azúcar en seis tazas de café, y a diario le compraba caramelos, turrones blandos, galletitas de miel y cuando podía, en alguna ocasión más dispendiosa, tabletas de chocolate. Y cada vez que le traía una golosina, Giacomino no sólo la agradecía profundamente, mudaba de ánimo, si estaba tormentoso, se serenaba, sonreía. En una segunda etapa, y esto Tristán prefería no verlo, en el ánimo de Giacomino se producía una sutil pero palpable alteración, su sonrisa adquiría otro carácter; los ojos perdidos en el vacío, la sonrisa se le torcía cínicamente, como si al comer chocolate o caramelos o galletitas ejecutara también un acto de venganza, escarneciera a alguien invisible que lo contemplaba.

Tristán le contó su visita a N'Bom. Ella puede hacer lo que quiere, ¿verdad?, preguntó Giacomino, casi afirmando. Tristán no lo sabía, ¿a qué llamamos libertad? N'Bom sólo era una hojita arrastrada por el torrente, pero no quiso seguir con el tema porque percibió que Giacomino se entristecía. Se limpió los dedos pegoteados contra la pernera del pantalón y buscó la carta de Paolina con los ojos. La había visto esa mañana, pero no pudo encontrarla entre la cantidad de papeles sobre la mesa, ninguna letra distinta, sólo las patas de mosca de Giacomino; no encontró tampoco el sobre alargado con las estampillas color sepia. Dispersó los papeles con un movimiento disimulado de la mano. ¿Malas noticias?, preguntó. Las habituales, contestó Giacomino. Paolina escribe poco, agregó sin soltar prenda. La boca se le estaba endureciendo, y Tristán no sabía si era por extrañas asociaciones que hacía entre el destino de N'Bom y Paolina, o simplemente, porque se sumía en la segunda etapa y ya preparaba la sonrisa para ultrajar a ese ser invisible que lo contemplaba.

Tristán no quería verla, esa sonrisa le provocaba daño, como si Giacomino se transformara en otro que no era, así que fingió una cita impostergable y se marchó. Cuando quedó solo, Giacomino sacó del bolsillo la carta de Paolina, la leyó nuevamente y por un instante sonrió con dulzura, la carta era escueta como de costumbre: Querido Muccio, nuestros padres están bien y te envían su bendición. La vida transcurre aquí como siempre, es decir, no transcurre. ¿Vendrás pronto? ¿Mejoraron tus ojos? Te extraño mucho, extraño nuestras conversaciones paseando por la habitación a oscuras, ¿te acordás? Te quiero y te recuerdo. Tu pensamiento no me abandona. Un abrazo con todo el amor de tu hermana. Paolina.

Él la burlaba por ese laconismo epistolar, virtud viril como decía el padre. Sólo después de su partida, había descubierto a través de las cartas de Paolina cuán gentil era su modo de escribir, y se lo había elogiado, confesándole que él no se sentía capaz de responderle con aquella gracia que merecían sus frases; no tenía él garbo para la galantería y temía además, que de usarla con ella, la madre quemara sus cartas, o antes o al menos después de habérselas mostrado. Saber que sus cartas pasaban bajo el ojo escrutador de la madre, diluía el placer de Giacomino de escribirle a Paolina, sujetaba su mano (que no su pensamiento); intuía que lo mismo también podía sucederle a ella cuando, por ocultas razones que se le escapaban, no lograba escribir sus cartas en secreto para enviárselas a través de Sebastiano, quien se encargaba de su correspondencia con Nina y Mariana Brighenti. Esta que había recibido esa mañana, era lacónica como de costumbre, pero excesivamente avara de datos; o quizá Paolina estaba demasiado triste y fraternalmente, había decidido guardarse para sí la desesperación. Besó la carta, la guardó en el sobre con estampillas color sepia y el sobre en la caja abarrotada de papeles. Luego, ya oscurecía, encendió dos velas que sostuvo mediante la misma cera fundida sobre dos platitos, y se sentó a la mesa. Arrugó al pretender alisarlas las hojas que había planchado y copió lo escrito en su cuaderno de tapas verdes, corrigiendo a veces alguna palabra. Mientras escribía, le pareció oír el ruido de una cigarra de verano.

"He conocido íntimamente a una madre de familia, que no era de ningún modo supersticiosa, sino sólida y exactísima en la creencia cristiana y en el ejercicio de la religión. Ella no sólo no compadecía a aquellos progenitores que perdían a sus hijos pequeños, sino que los envidiaba íntima y sinceramente, porque éstos habían volado al paraíso sin peligros y habían liberado a sus progenitores de la incomodidad de mantenerlos. Hallándose muchas veces en el riesgo de perder a sus hijos a la misma edad, no rogaba a Dios que los hiciese morir, porque la religión no lo permite, pero se alegraba cordialmente, y viendo llorar o afligirse al marido, se encerraba en sí misma, experimentando un verdadero y sensible desprecio. Era exactísima en los cuidados que prestaba a aquellos pobres enfermos, pero en el fondo de su alma deseaba que fueran inútiles, y llegó a confesar que el único temor que abrigaba al interrogar o consultar a los médicos era el de oír opiniones o noticias de mejoría. Cuando observaba en los enfermos alguna señal de próxima muerte sentía un gozo profundo, que se esforzaba en disimular solamente ante aquellos que la condenaban; y el día de la muerte, si sucedía, era para ella un día alegre y delicioso, no podía comprender cómo el marido fuera tan poco sabio al entristecerse. Consideraba la belleza una verdadera desgracia, y viendo a sus hijos feos o deformes, agradecía a Dios, no por heroísmo sino con todas sus ganas. En absoluto los ayudaba a esconder sus defectos, al contrario, pretendía que, teniéndolos, renunciaran enteramente a la vida en la primera juventud; si resistían, si trataban de oponerse, si lo lograban en mínima parte, se molestaba, disminuía con sus palabras y sus opiniones los logros de sus hijos (tanto de los feos como de los hermosos, porque tuvo muchos), y no dejaba pasar, a la inversa, buscaba empeñosamente las ocasiones de arrojarles los defectos a la cara, hacérselos conocer bien, así como las consecuencias que podían esperar de ellos, persuadiéndolos con una veracidad despiadada y feroz de la inevitable miseria que les provocarían. En estas o parecidas circunstancias, los fracasos de sus hijos le producían real consolación y se demoraba con preferencia hablándoles de lo que había escuchado en menoscabo. Procedía así para librarlos de los peligros del alma y de la misma manera se manejaba en todo aquello que concernía a la educación de los hijos, a su colocación y fructificación en el mundo, a los medios todos de felicidad temporal. Sentía infinita compasión por los pecadores, pero poquísima por las desventuras corporales y temporales, salvo si alguna vez la naturaleza la vencía. Las enfermedades, las muertes más dignas de compasión de aquellos jóvenes extintos en la flor de la edad, cuando son más bellas las esperanzas, cuando se producen con el mayor daño para las familias o la gente, etc., no la tocaban en lo más mínimo. Porque decía que no importaba la edad de la muerte sino el modo; y por esta razón, solía siempre informarse curiosamente si habían muerto de acuerdo a la religión y si, cuando habían enfermado, mostraban resignación, etc., y hablaba de estas desgracias con una frialdad marmórea."

¿Cómo un hijo podía escribir así de su madre? Cerró el cuaderno con lágrimas en los ojos y lo guardó en la caja de cartón, que deslizó bajo la cama. No llevaba más el cuaderno en el bolsillo interior de la levita porque la suma del peso real y de lo que había escrito en él, lo había convertido en piedra para sus fuerzas. Rompió las hojas que había copiado y que había tenido la intención de romper antes, cuando las estrujó tan violentamente. Ya era noche cerrada. Sobre la mesa había quedado la mitad de la tableta de chocolate. Le quitó el resto de papel plateado, masticó golosamente dejando que el chocolate casi endurecido por el aire fresco se deshiciera en su boca. Trató de olvidar que una vez había intentado despertar en la madre sentimientos de ternura, había reclamado su cariño enviándole una carta que nunca obtuvo respuesta: "Recuerdo que Usted casi me prohibió escribirle, pero no quisiera que mientras tanto, poco a poco se olvidara de mí". Le había relatado lo que podría satisfacerla, cuidadosamente había enumerado: virtudes de piedad, esfuerzo constante, ninguna gratificación en momento del día o de la noche, pero había caído en un error, el de contarle finalmente algún mérito que alimentara su orgullo de madre y que sólo, lo sabía, había servido para alimentar su sonrisa ingrata, esa mueca de subestimación hiriente que acudía a su boca cuando algo o alguien pretendía conmoverla. Tomaba las súplicas más fervientes por halagos a su vanidad y las menospreciaba. Así había sucedido: "Le ruego especialmente que me quiera, como está en conciencia obligada a hacerlo, considerando que después de todo soy un buen muchacho, y la quiero como Usted sabe o debiera saber. Le beso la mano, lo que no podía hacer en Recanati". Ahora se avergonzaba de esa carta (que nunca tuvo respuesta), aunque podía excusarse diciéndose que era muy joven; se puede pedir cualquier cosa en el mundo menos amor. Sopló las velas, casi consumidas. Sentado en la oscuridad, frente a la ventana, contempló el paisaje de los árboles torcidos, ligeramente movidos por el viento. Los chicos y los perros habían desaparecido de la calle, también el pájaro que un rato antes se había pegado a la ventana, el pico tocando el vidrio. Al observar la tristeza de Giacomino había alzado vuelo con un aleteo lúgubre y presuroso; se había ocultado entre los árboles, la cabeza apoyada en el buche, como sabiendo que ninguna mirada debía entrometerse entre Giacomino y sus pesares. Velaba desde allí y se consagraba quizá también él a la melancolía, nunca había vuelto a oír a Giacomino, quien, por otra parte, siempre volteaba el rostro apenas lo entreveía, ese pájaro negro que con el alma contemplativa y dichosa había aceptado en una plaza de Córdoba, ahora le provocaba repulsión, no le encontraba semejanza alguna con su gallo silvestre, no creía que pudiera transformarlo el milagro. Se alegró de no verlo. Porque había algo en él que también le recordaba a su madre, la negrura del vestido, la dureza de los ojos. Volvió a pasar el hombre empujando el carrito con una nueva carga de cartones, tintineaban botellas. Masticó lentamente la última barrita de chocolate, esperando herir a ese ser invisible que lo contemplaba. Tu hijo deforme, madre, se dedica a los placeres temporales, esos que te repugnaban porque nunca compartiste uno; ni hablar de los del cuerpo; te llegaban los hijos uno tras otro por causa de una necesidad ajena que si tuvo que ver con el placer no me siento capaz de imaginar cómo soportabas. Mi lengua se encuentra a gusto, se deleita ominosamente. Hasta aquí no me llega tu furia, ni tu desprecio. Tampoco tu amor, que nunca lo tuviste. Ni mi muerte te ablandará. Alguien que me quería, te dirá, besándote el ruedo de la falda: ¡bendito el vientre que lo ha concebido!, y lo rechazarás con desdén. Ahora nada podés hacer. Estoy lejos, como si a mi muerte se hubiera agregado la tuya. Seguramente, irás al paraíso. Sin embargo, cuando estés en el paraíso que tu religión te asegura, me permito, madre, augurarte una decepción. El paraíso nos vuelve impotentes para las cosas de la tierra, que tanto te importaban porque sólo una pasión desenfrenada por las cosas de la tierra extirpa en los seres la bondad. No podrás tocar a los vivos. Ya ahora, nada podés hacer. Con la boca endulzada, acerco mis labios a tu mano y la beso. Y no podés negarte, como hacías cuando era pequeño, como hiciste al recibir mi carta que nunca contestaste. Pero tu mano es fría y me siento solo. Ha cesado el ruido de las cigarras del verano.

Cuando Tristán llegó al mediodía, Giacomo dormía aún. Cambiaba la noche por el día y viceversa, aunque eso no convenía a su salud. Al atardecer, se encasquetaba el sombrero y decía: Voy a dar una vuelta. Eran vueltas largas porque habitualmente no aparecía hasta la madrugada, y entonces tampoco dormía; tropezando en la oscuridad, sacaba sus papeles que guardaba en la caja de cartón bajo la cama, encendía la vela, se acodaba en la mesa y pergeñaba vaya a saberse qué cosas. Tristán nunca había intentado saberlo, y no sólo por discreción, se mareaba ante esas cuartillas llenas de patas de mosca, con patas o consonantes por partida doble, escritas en un idioma que no entendía. Se acercó y lo miró dormir: ni en sueños Giacomo se quedaba tranquilo, dónde estaba que agitaba las manos tratando de sujetar algo inasible, movía los pies bajo las sábanas pateando quizá su propia pesadilla. Su frente estaba húmeda. Giacomo, Giacomino, dijo Tristán suavemente, para que la huella de su afecto lo alcanzara, se le depositara en el sueño y supiera que podía contar con alguien que lo miraba dormir desde este lado. Pero en apariencia nadie podía alcanzarlo, Giacomino se quejó y dijo luego, con voz muy clara a pesar del acento: Madre, ¿por qué nunca me besaste?, se dio vuelta de costado y continuó sumido en su sueño, tan agitado e inalcanzable como antes de que Tristán se acercara.

Tristán se calentó la comida y cuando iba a sentarse a la mesa, oyó unos gritos provenientes de la calle. Prestó atención: ¡Fuego!, distinguió claramente entre otras exclamaciones de alarma. Pensó al principio que era uno de los barrios de negros el que ardía. Podía ser el de los negros altos de la laguna, podía ser el que se había comido el descampado, de los negros bajitos. Rogó para que el fuego fuera accidental y no por puntería, deliberación de una mano acertando una bomba molotov por encima del muro, entonces habría que agregar a la desgracia, la culpa. Se asomó a la puerta y vio a la gente correr. Corrió tras ella. No era ninguna choza en el barrio de los negros la que se incendiaba, era en la aglomeración de nativos, con ranchos de latas, chapas embreadas y maderas. Y este material resultaba más adecuado para el caso, puesto que las chozas de los negros habían sido construidas en parte con cañas verdes que mantenían la humedad. Habría menos llamas y más humo a la vista. No sucedía así: las llamas consumían el rancho alzándose verticales y sin padecer angustia para procurarse oxígeno. ¿Qué pasó?, preguntó Tristán, y le pareció que de modo incontrastable la culpa se sumaba a la desgracia; era tan evidente como si una mano homicida hubiera arrojado una bomba molotov. No había sido una bomba, sólo indiferencia, de los que tenían todo hacia los que no poseían nada. El hombre a quien había interrogado, se encogió de hombros: Un calentador encendido, ¿qué sé yo?, murmuró con enojo, y se sumó a los vecinos que habían formado una cadena, como en los incendios de graneros en el campo. En realidad ejecutaban un acto simbólico porque el agua escaseaba. Del caño que había torcido el Quejoso, y vuelto a enderezar por los vecinos, sólo brotaba una hilito. A unos metros, contemplando la hoguera, había unos chicos con cara de susto, apretados en montón. Uno, dos, tres, cuatro, contó un vecino que era maestro, y gritó que faltaba uno. Repitió la operación con el mismo resultado. No se convenció y los alineó en fila, Falta, murmuró, y dejó caer los brazos a los costados. Tuvo una sonrisa de impotencia. Entonces, un loco intentó penetrar en esa llamarada con intención de rescatar al ausente, pero salió casi al instante, chamuscado, asfixiado por el humo de una llanta de goma usada como asiento y que había comenzado a arder en el interior del rancho. Arrojaron dos o tres baldes de agua que de poco sirvieron, porque aquí también se necesitaba un océano para apagar tanto fuego. Uno que se había alejado más en busca de agua, se topó con un tipo que sostenía un balde con un líquido transparente comprado en la estación de servicio, caminaba desprevenido en dirección a un camión que se había quedado sin combustible. El que venía del incendio murmuró una disculpa, le arrebató el balde y corrió de regreso, perseguido por los gritos del otro. Creyendo que era agua, arrojó con fuerza el contenido del balde hacia las llamas. Se produjo una explosión que los hizo retroceder en conjunto, salvo al del balde que cayó de costado con las mejillas ardiendo, y se alzó una llamarada que sobrepasó a las otras. El rancho se derrumbó. Entonces, toda la agitación se trocó en parálisis. Abandonaron los baldes sobre el suelo, como si fueran de plomo. Por un rato largo nadie se movió ni osó acercarse. Permanecieron mudos y quietos, casi sin respirar, hasta que uno de los vecinos carraspeó, señaló de un modo impreciso hacia el montón derrumbado de carbones ardientes de donde salía un humo negro, y refiriéndose al ausente, dijo en voz baja: Debe estar ahí.

En ese momento oyeron sonar un estruendo de sirenas. Un patrullero y dos autobombas, saltando sobre los desniveles de la calle de tierra, avanzaban a gran velocidad, frenaron bruscamente frente al grupo de vecinos y uno de los bomberos fue despedido y cayó de bruces en un bache barroso; perdió el casco. Al rato, para colmo de lujos, apareció una ambulancia; resultó útil porque un enfermero tomó al de las mejillas quemadas y lo sentó sobre una camilla. Los bomberos, por hacer algo, desenrollaron las mangueras y las volvieron a enrollar. Los baldes dejaron de pesar como plomo, el cabo de bomberos levantó uno fácilmente, se dirigió al caño enderezado y regresó para arrojar agua sobre los carbones ardientes mientras los policías formaban un cordón y ordenaban retroceder a todo el mundo. Algunos curiosos permanecieron aún, pero el resto obedeció, no a la orden, sino a un impulso secreto que a partir de la vergüenza les decía no mirar más.

Giacomino se golpeaba la cabeza con los puños. Había estado escribiendo gran parte de la noche, el humor tétrico, y tenía los ojos enrojecidos, además de melancólicos. ¿Por qué sufro tanto? No soy más que un tronco que piensa y sufre. Me cambiaría por una planta, una roca, por cualquiera con un corazón más frío, una cabeza inerte. Ellos son felices.

Vaya soberbia, pensó Tristán. ¿Cómo podía estar tan seguro? ¿Qué sabemos de los sentimientos ajenos? Una planta se amustia, una piedra se rompe.

No sabés nada de plantas, dijo. ¡Sé!, gritó Giacomino, sé todo sobre las plantas, las rocas y los hombres. Nadie conocía más que él los sufrimientos del jardín, y en su exageración, según su criterio no había planta ni hierba ni árbol que no sufriese. A esa rosa la ofende el sol, aquel lirio es chupado cruelmente por las abejas en sus partes más sensibles, más vitales. A este árbol lo infecta un hormiguero, a aquel otro las moscas, las avispas, las orugas, los gusanos; éste está herido en la corteza y atormentado por el aire y el sol que penetran en la llaga; aquél está enfermo en el tronco, en la raíz; éste tiene hojas secas, aquél está rojo, mordisqueado en las flores, éste herido, punzado en los frutos. Esta planta tiene demasiado calor, aquella demasiado frío; demasiada luz, demasiada sombra, demasiada humedad, demasiada sequía. Ciertamente, estas plantas viven y el espectáculo de tanta abundancia de vida al entrar en el jardín, nos regocija el ánimo y de aquí que nos parezca un lugar de alegría. Pero en realidad esta vida es triste e infeliz, cada jardín es casi un vasto hospital (lugar mucho más deplorable que un cementerio) y si estas plantas sienten, o queremos decir, sintieran, verdad es que el no ser sería para ellas mejor que el ser. Era joven cuando había tenido esa visión apocalíptica, pero aún la recordaba y sostenía. De cualquier modo, mejor pertenecer al reino vegetal que al reino, erial más bien, de los hombres, donde algunos estaban destinados únicamente a pensar y padecer. Tristán bebió un vaso de agua y luego se sentó, observando a Giacomino con ojos críticos, ¿qué había hecho para que le endilgara ese discurso? Giacomino era fastidiosamente autorreferencial, sólo que se disfrazaba de planta en el jardín. Era él que por angustia de querer ser, no aguantaba la idea de finitud, era triste por naturaleza, sufría de los ojos, de las piernas, de los huesos y pulmones, y todos estos padecimientos se los achacaba a las plantitas a las que sólo sabemos mirar o cultivar con riegos y abonos para comerlas. Todo ignoramos de sus alegrías y sufrimientos. Autorreferencial era Giacomino, porque si su ánimo fuera optimista podría haber llegado a la conclusión opuesta: que la vida se impone, hoja seca de más, hoja seca de menos, picadura de hormiga, picotazo de pajarito, incluso mordedura de serpiente. Todo es según el cristal con que se mira, iba a enunciar sucintamente Tristán, ajeno a la vulgaridad de la frase, complacido de su pedestre sabiduría que era lo que Giacomino necesitaba para poner los pies sobre la tierra, pero se calló. Había estado mirando a Giacomino y como siempre la contemplación lo extraviaba, perdió el espíritu crítico, el ansia aleccionadora, vio que Giacomino, que ignoraba todo sobre las plantas, conocía su propio sufrimiento, registró las ojeras, la palidez siempre humedecida del rostro, y la compasión lo arrebató. Lamentó ese día árido donde no había podido comprarle un chocolate, una golosina cualquiera para endulzarle la existencia. Un tronco que piensa y sufre, dijo Giacomino, y volvió a golpearse la cabeza con los puños. Esperando distraerlo, Tristán le ofreció un vaso de agua. Me cambiaría por no importa quién, decía Giacomino que no sólo era soberbio, también imprudente, me bastaría que fuera estólido y sin nervios, que no padeciera físicamente y no pensara; podría cambiarme por un negro de la tribu de N'Bom, por tu amigo el Quejoso, por el mozo del bar; ¿y por mí?, pensó Tristán con deseo, pero no se atrevió a preguntarlo, y en ese momento se dio cuenta de que la mayoría de las preguntas que mentalmente dirigía a Giacomino quedaban en pura interrogación interna, las preguntas siempre se le atravesaban en el garguero, se disolvían después con un dejo de frustración, como terrones amargos. Y además, observando su esqueleto torcido y la cobertura de su carne escasa y humedecida, comprendió que con el egoísmo de la buena salud no quería cambiarse con él, pregunta inútil en suma. Y le sorprendió, y avergonzó, de que le pareciera tan fácil acoger entre sus brazos todos los pesares de Giacomino, pero que de cargar con su cuerpo, asumirlo en sustitución, no quisiera saber nada.

Los seres que no piensan son felices, los que no sienten, igual, continuaba Giacomino que había cesado de encarnizarse con las sienes y se distraía refregándose las manos, torciéndose los dedos cuyas falanges resonaban con un ruido hueco; todos pasan sin desgarrarse, salvo yo. Los he visto en mi pueblo, plebeyos, esclavos resignados, levantarse al amanecer para hacer pastar a las ovejas, sembrar entre las rocas. Golpeaban a sus animales cuando los animales no daban más de fatiga, golpeaban a sus mujeres, se les morían los hijos uno tras otro y sólo se conmovían con un pesar momentáneo. La fugacidad del día. Y a mí el corazón se me aprieta ferozmente de saber cómo todo el mundo pasa y no deja huella. ¡Pasa, Tristán! De los reinos e imperios que fueron famosos, hoy no perdura señal ni fama alguna. Giacomino tomó aliento asmáticamente y remató: De las infinitas vicisitudes y calamidades de las cosas creadas, no quedará siquiera un vestigio, sino un silencio desnudo, y una quietud altísima, llenando el espacio inmenso. Así este arcano maravilloso y horrendo de la existencia universal, antes de ser declarado ni comprendido, se diluirá y perderá.

¡Mi Dios!, exclamó Tristán. Todo lo que tocaba Giacomino lo hacía pomada, ¿no podía vislumbrar alternativas más amables? Si tocaba el jardín lo reducía a hospital, si se refería al tiempo no rescataba ni siquiera cenizas, y aunque en última instancia fuera verdad, apegado al momento, al transcurrir dulce de la tarde a la noche, y la noche transfigurada, Tristán se negaba a reconocerlo. ¿Por qué no compadecía a los campesinos en lugar de envidiarlos? Y esto es lo que dijo. Giacomino lo refutó al instante: Esos jamás piensan en la quietud y el último silencio. Aceptan el destino. No les queda otra, dijo Tristán, sabiendo que la quietud y el último silencio era para los campesinos un lujo del alma. Giacomino lo miró con odio: ¿Y por qué yo no?, gritó. Así quiero aceptar mi destino. Pero para esto no debo pensar, no debo sentir.

¿No exagerás?, dijo Tristán sintiendo, él sí sintiendo, y con agrado, que la irritación le renacía. Y éstos de aquí son semejantes como es semejante una gota de agua a otra, dijo Giacomino sin escucharlo. Buscan camorra cuando debieran llorar por pérdidas e infortunios, se emborrachan y engendran hijos que no pueden mantener, viven y no se preguntan para qué.

Tristán suspiró, si Giacomino no sufriera tanto sería insoportable. Como de costumbre, con él se le escapaban los hilos. Tenía días de melancolía silenciosa, siempre corporalmente agitada, pero de pronto podía encenderse como la chispa de un incendio. Había estado recorriendo el barrio en sus salidas nocturnas, él decía que cuando paseaba su distracción consistía en contar las estrellas; obviamente Tristán no le creía. Si no conocía la frase que transformaba la noche, ¿qué hacía cuando era oscura o amenazaba tormenta? Quién sabe con qué se había tropezado en su último paseo, lo habían perseguido los maleantes o prostitutas, o quizás no, lo habían dejado en paz simplemente para que pensara en su casa tan lejos, en su hermana que adoraba, en la muerte o su infelicidad con las mujeres. El hecho es que había vuelto con el rostro demudado, Qué días horrendos, gritó con voz contenida de pesar, ¡Oh, días horrendos en tan verde verano!, y se había puesto a escribir. Dolorosamente, porque escribir no había sido desahogo, alivio, catarsis, al contrario, enfrentamiento y subrayado del propio dolor, y ahora tenía que descargarse, la emprendía con aquellos que llamaba "los otros", la gente del barrio, los negros, los indios, los habitantes de baja ralea, y los unía, atrás en el tiempo, a esos campesinos toscos, bestias de trabajo, que habitaban los alrededores de su pueblo, en casas húmedas, oscuras y roñosas, y hacía deducciones apresuradas y erróneas. No conocía a sus campesinos el bueno de Giacomo, no conocía a quienes lo rodeaban ahora. Alguna prostituta debía haberle sonreído, y él que era tan sagaz, había tomado la apariencia por verdad, si ella podía sonreír en su situación, que era situación de humillación total, de amenazas de contagios, ¿qué extraños resortes movían su sensibilidad, la sostenían en ese terreno flojo donde él se empantanaba diariamente? Ninguno, deducía, no había sensibilidad siquiera. Cuero en el alma. Giacomino tenía estas cosas, con la intención despreciaba, aunque después en el trato era incapaz de mostrarse ofensivo, al contrario, se mostraba dispuesto a consideraciones infinitas con los seres más torpes que encima lo ridiculizaban a sus espaldas.

Tristán lo oía sintiendo pena, pero luego la furia desalojó a la pena. Giacomino se golpeaba las sienes como si pretendiera romper el hueso; no quería vender su alma al diablo en trueque de belleza, fuerza y eterna juventud, sino cambiarla por el alma insensible de uno de esos que merodeaban por el barrio. Sufriría menos, pensaba el inocente, y por suerte había dejado de lado piedras y plantas con las que había menos seguridad aún.

Un momento, Giacomino, dijo Tristán con voz firme. Y Giacomino no lo oyó, caminando por el cuarto como caminaba él, a pasitos saltarines y nerviosos, gesticulando incansablemente. Tristán saltó hacia él y le puso la mano sobre el pecho. ¡No me toqués!, gritó Giacomino, que tenía unos raptos de orgullo como para matarlo. ¿Por ésos querés cambiarte? ¡Sí!, gritó. No aguanto más. No cesaba de pensar todo el tiempo, no cesaba de sufrir todo el tiempo. Ninguna tormenta permanece, ninguna cerrazón es eterna, sólo sufrir y pensar no me abandonan.

Tristán señaló las hojas sobre la mesa, la caja de cartón que desbordaba de papeles. ¿De qué te quejás? Ponés todo ahí, afirmó, aunque no sabía qué tipo de cosas escribía Giacomino, lamentos seguro —*en tanto me pregunto Cuánto me queda por vivir, y aquí por tierra Me arrojo, y grito, y bramo. ¡Oh días horrendos En tan verdes años!*—; ¿qué escribía con su letra menuda en esas hojas sueltas?, lamentos seguro, como exactamente había proferido el Quejoso que ya no se quejaba. La ralea gritaba en el fútbol, volcaba allí sufrimientos y frustraciones. Todo iba a parar al mismo pozo. Imprudentemente expresó su pensamiento en voz alta. Es lo mismo, creo. ¿Qué, qué?, dijo Giacomino, tornándose lívido. ¿Qué creés? Con la mano temblorosa aferró uno de los papeles, tan descontrolado que lo arrugó un poco e incluso le arrancó una punta. ¡No quiero!, gritó Tristán, porque Giacomino se disponía a leer. De lívido, Giacomino se puso pálido, mortalmente ofendido. Le dio la espalda, sentándose en una silla. Tristán lo miró, entre agraviado y piadoso. El hombre, vaya a saberse de dónde había salido, ignoraba que ningún mal del corazón puede compararse al hambre, ningún desfallecimiento en la pasión puede compararse a la intemperie. Y lo que sufre la cabeza, lo razona. Males o desfallecimientos pueden alzarnos, pero hambre e intemperie rebajan. ¿Los creía inalterablemente felices? Cuando terminaban de gritar en la cancha, belicosos, exultantes o frustrados, se sentían vacíos y no se daban cuenta del vacío. Tomó una silla y se sentó detrás de Giacomino, balanceándose de izquierda a derecha para seguir el ritmo de esa espalda que se agitaba. No darse cuenta, Giacomino, es lo peor. Y al día siguiente, vuelven a levantarse en la madrugada soportando el frío y el maltrato, viajan ocupando los asientos duros del ómnibus o peor, sin conseguir asiento alguno, y regresan a un trabajo que no aman. Vos debés amar el tuyo. Agradecé a Dios. ¡No creo!, gritó Giacomino girando fugazmente la cabeza. Agradecé a Dios o a quien sea tener el corazón sobresaltado y la cabeza inquisidora e inquieta. ¡Sufro!, gritó Giacomino, y Tristán le hizo un corte de manga que por suerte, Giacomino, de espaldas y con la cabeza sobre las rodillas, no registró. Los ves a partir de lo que quieren, poner una antena de televisión sobre el techo mientras adentro se agrandan las goteras. Sin saberlo, quieren sueños. Vení, y lo aferró del brazo. ¿Adónde?, preguntó Giacomino, poniéndose de pie muy pálido y transpirando como si Tristán quisiera llevarlo a la muerte.

Velaban al chiquito quemado en la casa que había prestado una vecina. ¡El sombrero!, gritó Giacomino antes de partir, ya en la puerta de calle, y Tristán retornó a la pieza y lo recogió. Aprovechó para probárselo, pero la cabeza de Giacomino era más chica y a él sólo le adornaba la cima del cráneo. Cuando volvió, Giacomino con los ojos dilatados como ante la confirmación de un mal presentimiento, contemplaba al pájaro negro que se había posado en la vereda. Buscando la mirada de Giacomino, el pájaro alzó el vuelo a su altura y permaneció en el aire, suspendido como un colibrí. ¡Echálo!, gritó Giacomino, histérico. Tristán le dijo: Andáte, y el pájaro cayó a plomo sobre la vereda, y luego, a pasos cortos, rengueando, se ocultó detrás de un árbol. ¡El sombrero!, urgió Giacomino. Tristán le sacó el polvo y se lo calzó en la cabeza. Giacomino se molestó: No te tomés confianza, dijo, la susceptibilidad en vivo, se quitó el sombrero, sopló unas pelusas invisibles y se cubrió nuevamente. ¿Para qué? Sólo para recorrer unas cuadras porque por respeto, al entrar en la casa del duelo, Giacomino se destocó con un gesto espontáneo. El televisor estaba y las goteras también, habían dejado enormes y frescas manchas de humedad en el cielorraso. Tristán estrechó manos callosas, se enfrentó a jetas patibularias, a muchachos con cabelleras crecidas. Un hombre de tez oscura lloraba junto a un cajoncito, y obviamente faltaba alguien a su lado. La mujer, en un arranque de locura, de inconciencia, ¿qué era?, lo había abandonado con cinco chicos y el rancho había ardido, explicaba una vecina, en un murmullo, lo que era de público conocimiento. Todos habían logrado escapar del incendio, menos el menor que no caminaba aún y que para colmo dormía. El resultado podía descontarse y ahí estaba, en el cajón cerrado.

¿Por qué los dejó solos?, preguntó Giacomino con acento de contenido reproche, y Tristán le pegó un codazo. Lo miró con lástima. Éste debía creer que la comida crece de los árboles.

¿Por qué los dejé solos?, se preguntaba el hombre inútilmente.

Cuando regresaron a la madrugada, Tristán un poco achispado por unas copitas de anís y ginebra, Giacomino había perdido el orgullo. Había permanecido de pie en un rincón, estrujando el sombrero, deformando el ala rígida y dándole forma alternativamente, sin apartar la vista del hombre que lloraba y que después, como si se secara una fuente, había cesado de hacerlo, enjugándose el llanto con una mano áspera y oscura, y hasta había reído en conversación con otros hombres mientras bebía ginebra. Unas mujeres se habían acercado y acariciando el cajón habían comenzado a hablar del chico, las gracias y monerías, y el hombre había agregado alegremente las que recordaba y ante la última, que relató como si aún estuviera vivo, lo asaltó una carcajada franca y angustiosa. Giacomino, que no apartaba los ojos, había contemplado cómo la risa se había petrificado de golpe en ese rostro y el hombre se había golpeado bruscamente las sienes con los puños, repitiendo su propio gesto en el cuarto de Tristán. Sintió que el orgullo y la ira se borraban en él.

Yo también sufro, dijo humildemente. Sí, reconoció Tristán, y ningún dolor es mejor o peor que otro porque no existe vara en el mundo para medirlo. Nadie merece sufrir, y como no era frecuentador de Dios, no pensó como la madre de Giacomino en un Dios mezquino que condenaba inevitablemente al dolor, pero algunos sufrimientos son más inmerecidos que otros. ¿Por qué los dejé solos?, se preguntaba el hombre. Tu dolor lo mereciste, Giacomino, por pensar mucho, por sentir mucho. Pese a la jugada de la naturaleza, casi lo elegiste. Por comparación es inocente, Giacomino, y ésta es tu gracia.

Giacomino se echó sobre la cama, iba a llevarse los puños a las sienes, aflojó las manos y extendió los brazos a lo largo del cuerpo. Sufro, dijo en voz muy baja, como si pidiera disculpas.

Tristán llamó suavemente, Maruja, ignorando si llamaba a N'Bom o a la mujer que había amado, y si en realidad era la nostalgia la que lo impulsaba a pronunciar el nombre. En esa indecisión, la negrita tenía la piel más clara, labios más finos, otros gestos. Y la otra se oscurecía, le aparecían motas entre el pelo lacio, se le agrandaban los ojos, el cuerpo se le modelaba en curvas y sensualidad. Sintió de pronto punzantes deseos de verla, a cuál de las dos ignoraba, de saber, como Paolina había querido saber de Giacomino, la forma en que transcurrían sus días y sus noches. Está bien que de N'Bom al menos lo imaginaba, pero imaginar no era verla, desconocía los detalles de la cotidianidad, el momento preciso en que la asaltaba la tristeza o el júbilo.

Al acercarse al barrio lujoso donde vivía N'Bom sabía que iba a tener noticias de ella, y no de la otra, desaparecida en un zanjón del tiempo. Rondó por el barrio con la esperanza de encontrarla casualmente, alguna vez saldría para alisarse la cabellera, porque apenas los ácidos dejaran de surtir efecto las motas reaparecerían implacables; iría a comprarse vestidos, perfumes de olor intenso como el que se había arrojado en su visita, un poco repugnantes de tan dulces. Permaneció horas frente a la puerta principal, la de paneles de vidrio y bronces brillantes, hasta que un policía lo tomó por un ladrón oficiando de campana y en un tris estuvo a punto de terminar donde no quería. Alzó los brazos y lo palparon de armas, extendió sus documentos, explicó, abrió su corazón balbuceando impúdicamente penas de amor que no experimentaba por una sirvienta del barrio que lo había abandonado, y el policía pidió refuerzos, lo sentó en el patrullero bajo vigilancia de su colega, y como pasaron las horas y el barrio continuaba en calma, le quitaron las esposas, volvieron a interrogarlo en un tono menos duro. Finalmente, le permitieron marcharse en un rapto de bondad, después de que Tristán entregara su reloj pulsera y la escasez que guardaba en el bolsillo; reloj tan ínfimo, escasez tan acentuada, que no disminuía la transparencia del gesto.

Así que Tristán dejó pasar unos días para que se aquietaran las aguas y escarmentado por la experiencia, decidió otra actitud; encaminándose directamente a la casa de N'Bom (Maruja, Vanessa, ¿quién era?), tocó el timbre de la puerta de servicio. Si una vez había visitado a la negrita como técnico en televisión, podía hacerlo nuevamente, y para mayor verosimilitud cargó en una valijita un destornillador, cables viejos y un martillo. El portero lo reconoció, inamistoso. Váyase, le dijo. ¿No está?, preguntó Tristán. Esa no va a estar por mucho tiempo, le contestó con una sonrisa entre ambigua y cretina. Tristán dedujo de inmediato que la negrita había cambiado el lujo de su departamento en el décimo piso por una habitación en la cárcel, lo había temido, tantas comodidades, acondicionador de aire, estufa, mesitas con cachivaches, no podían conseguirse honestamente. Estaría tras las rejas, muriéndose de frío, ella que tenía encendida la estufa incluso en el verano. ¿No lee los diarios?, dijo el portero. No leo, contestó

Tristán con tristeza. El hombre estuvo tentado de decir: peor para usted, o mejor, y cerrarle la puerta en las narices, pero luego, como no había hablado con nadie esa mañana y le pesaba la soledad, accedió a hacerlo con cualquiera, aun con uno que estaba mal vestido y tenía cara de lelo. Y más lo incitó a soltar la lengua la preocupación que advertía en esa cara, porque no proporciona el mismo placer darle un gusto con buenas noticias a un extraño que no nos va ni nos viene, que aplastarlo con el relato de una desgracia. Explicó subrayando cínicamente la categoría, que a la señora del décimo piso se la había tragado la tierra, no oyó más sus taconeos por el vestíbulo, nadie preguntaba por ella, no inquietaba a nadie. Sólo a él, aunque ella había sido apenas discreta con las propinas cuando hubiera debido ser esplendorosa, colmarlo de oro; recibía muchas visitas, todas de hombres y a todas horas, visitas también ellas desaparecidas misteriosamente, como si se comunicaran de un modo invisible y supieran que lo más atinado sería no asomarse por la casa. Tristán dejó caer la valijita, a ciegas estiró el brazo hacia atrás buscando la cercanía de la pared. El portero sabía cómo correspondía actuar en casos de ausencia inexplicable, consiguió un testigo en el vecindario, pulsó el timbre insistente y abrió con la llave maestra. Todo en orden. ¿En orden?, suspiró Tristán. En orden, rió el portero. Pura apariencia. Hedía, dijo bruscamente. Ella... ¿hedía?, balbuceó Tristán. Sí, ¿qué esperaba?, terminan así las que pasan de los caños al lujo, ésta venía de la jungla, de comer con los monos, más le hubiera valido quedarse allí, acostándose gratis con los de su tribu. Tenía unas tetas, un culo..., agregó con aire soñador, entre despechado y nostálgico. Tristán murmuró algo, la voz blanca. El portero le prestó atención por un momento, comprobó que estaba exangüe, y continuó, con un brillo en los ojos: la negrita, pretendiendo abarcar demasiado o negándose a exigencias, había provocado enconos; un degenerado, vaya a saberse cuál porque eran todos señores elegantes, la había ahogado en la bañera. Desnuda, miraba a través del agua con los ojos fijos y grandes como palanganas. Cuando la sacaron fue el olor, no antes.

Mientras Tristán se alejaba, la negrita ya no se confundía con aquella Maruja que él había amado de joven, la piel se le hacía irrevocablemente negra, los labios pulposos y hasta el cabello alisado, mota espesa. Un muchacho le entregó dinero para el ómnibus. ¿Te pelaron, te sentís mal?, preguntó fraternalmente, conmovido por su expresión trastornada. Tristán negó, pálido hasta los labios, No calculé..., balbuceó. Viajó con la cabeza en blanco y al descender en el suburbio olvidó la valijita. Corrió tras el ómnibus, pero en seguida abandonó, ¿qué importaba? Caminó bordeando el muro de ladrillos con puntas aguzadas de vidrio y llegó hasta la laguna sin darse cuenta de adónde lo llevaban sus pies. La madre de N'Bom fregaba ropa en un tacho. Confundido con sus propios hijos, el de N'Bom jugaba con unas viejas latas de tomates que llenaba de tierra, como si fuera arena de una playa. Cuando las volcaba, la tierra se desmoronaba. La madre de N'Bom se secó presurosa las manos en la falda, le salió al encuentro. Sonrió a Tristán y lo miró a la expectativa, como hacía siempre cuando lo encontraba. No le tenía miedo. Él siempre le proporcionaba noticias de N'Bom, ciertas, fraguadas la mayoría de las veces; se aparecía, de parte de N'Bom, con algún paquete de comestibles que ella, olvidada de su gente casi por entero, jamás enviaba. Para ustedes, decía Tristán, y la madre abría en seguida el paquete y por un rato, para gozarlos más, disponía los obsequios en escaparate junto a la entrada de la choza, harina, azúcar, galletitas. Ya hablaba algunas palabras, pronunciándolas con un acento cantarino. ¿Le va bien?, inquiría. De envejecer allí, junto a la laguna, N'Bom se hubiera parecido a ella, ojos que habían gastado el brillo, agujeros entre los dientes, la piel rugosa, como cuero. Y sin embargo, aún la capacidad de alegrarse y agradecer. Tristán le palmeó el hombro y no advirtió la decepción de ella ante sus manos vacías; no contestó sus preguntas que no oyó ni tampoco hubiera entendido porque a ella, cuando ponía nerviosa, el lenguaje extraño se le trabucaba y buscando apoyo se deslizaba hacia las viejas palabras nacidas con su boca, las familiares de su lengua natal. Tristán siguió en silencio su camino hasta el borde mismo de la laguna, desbrozado de malezas que los negros cortaban y secaban al sol para los techos. El nivel estaba alto. Creyó ver que el agua densa de la laguna se rizaba por el viento. Perdido, la miró como si fuera el mar.

Giacomino cada día estaba peor. Perdía peso del poco que tenía, se volvía transparente. Casi no se levantaba de la cama. Hasta el collar de semillas con el alambre finito le oprimía el pecho como una carga que no le permitía moverse, y había concluido por guardarlo en la caja de cartón. Iba a cumplir treinta y nueve años, pero aparentaba sesenta. Torciendo los ojos inflamados, escribía y escribía a la luz de una bombita eléctrica, protegida por papel traslúcido, que Tristán había colocado cerca del respaldo de la cama. Tanto tiempo había castigado sus ojos, naturalmente débiles, trabajando primero a la luz de una vela, después de un candil; finalmente había debido resignarse, venciendo su repugnancia, a la luz eléctrica. No era mejor; rezongaba porque la encontraba demasiado cruda, hiriente a pesar del papel que la tamizaba y de la bombita de veinticinco wats. Esta luz hiriente, mortecina a decir basta, no le había quitado absolutamente la inspiración, como había temido. Al contrario, había descubierto que la inspiración era un lujo del que podía prescindir, no existe cuando el tiempo apremia, se convierte en tenacidad. Escribía y escribía, y cualquier momento era bueno, salvo cuando su cuerpo se ponía prepotente en dolores y desánimo, e incluso entonces, cuando reposaba cerrando los ojos, no abandonaba el papel y la lapicera que aferraba entre las manos. Al rato, como si con los ojos cerrados hubiera amontonado tenacidad, los abría y cubría el papel de palabras, tachaduras, divisiones prolijas para aprovecharlo al máximo, sin manifestar nunca hambre o sed. Escribía tan concentrado que Tristán padecía, rondaba a su alrededor recelando que dejara de respirar. Nunca le había preguntado qué. Debía hacerlo, y ya mismo. Ante ese cuerpo que se consumía, lo asaltó la idea de que un día se borraría de ese lecho, de esas sábanas que con gran esfuerzo él le cambiaba diariamente. Quedarían sólo los papeles. Pero quizá los papeles no hablaran con suficiente claridad. La eternidad es una cosa grave. Qué escribís, preguntó.

Giacomino buscó en el montón y eligió una hoja. Leyó en un idioma que Tristán no entendía:

Dolce e chiara è la notte e senza vento
E queta sovra i tetti e in mezzo agli orti...

Levantó los ojos melancólicos y lo miró. Y ante el gesto de incomprensión de Tristán, que como siempre se esforzaba por entender y creía que no entendía nada, porque su alma estaba llena de la música de esas palabras y temblaba, pero no había entendido su sentido, Giacomino leyó con su voz amable que había perdido un poco su acento extranjero, *Dulce y clara es la noche, y sin viento...*

Se interrumpió ante la risa de Tristán. ¡Lo sabía, lo sabía!, gritó Tristán dando vueltas por el cuarto. Siempre lo tuve en la cabeza, siempre. Que eso lo hubiera escrito Giacomino, ¡qué casualidad! Y lo que seguía también debía haberlo escrito Giacomino. Se cumpliría por fin su anhelo, podría decir todo el poema y el barrio y sus contornos, el mundo entero cambiaría. Lástima no haberlo sabido antes de la muerte de N'Bom, le hubiera tocado otro destino. Se había exprimido los sesos, se había dolido por el verso inconcluso, y ahí estaba, al alcance de su mano. Giacomino lo miraba con ojos cansados mientras Tristán gesticulaba y daba vueltas por el cuarto, un poco por inercia porque el pensamiento de N'Bom había ensombrecido su alegría. Cuando paró de dar vueltas, temió haberlo ofendido, orgulloso y susceptible como era. Se dispuso a explicar su movimiento de júbilo, pero la expresión de Giacomino no se había alterado, ni siquiera manifestaba curiosidad, sólo cansancio. ¿Estás cansado, Giacomino?, preguntó Tristán, inquieto, y Giacomino negó con la cabeza. Estoy bien, dijo. Mejor que ayer. Tristán hizo mal en creerle. La conciencia que tengo de lo enorme que es mi infelicidad no comporta el uso de la queja. Si el mismo Giacomino se había contradecido en ocasiones, era comprensible: demasiado sufrimiento para un solo cuerpo. Ahora, tranquilizado por la ausencia de quejas, Tristán podría preguntarle qué sucedía a la noche dulce y clara en la que dormía el viento; todo el poder estaba en esa hoja que Giacomino había dejado caer sobre las sábanas; vendría un mundo armonioso. Giacomino se reclinó en las almohadas, cerró los ojos,

Giacomino, dijo Tristán suavemente, y por una vez los ojos de Giacomino cuando los abrió estaban despojados de melancolía. Tendió débilmente el brazo y Tristán aferró su mano. Quería contarle que se había creído poeta (¡él, poeta!), pero los labios de Giacomino se movieron y Tristán se figuró que diría el poema, que debía saberlo de memoria, de adelante para atrás, de atrás para adelante. Aguantó la respiración y esperó en suspenso. Pasó un rato colmado de expectativas por parte de Tristán, y al fin, Giacomino dijo con voz dulce y fatigada algo que no tenía nada que ver. Quiero morirme, Tristán.

Hubo un largo silencio. Tan profundo que se oyó el gotear del grifo de la cocina y el graznido seco de un pájaro desde la calle. Tristán se sintió helado. Lo que menos esperaba era esa declaración imprudente. ¿Por qué hablaba así Giacomino, que para colmo era el dueño del poema? ¿Qué le pedía? ¿Que aprobara su deseo? Quiero la muerte ya, dijo Giacomino con una convicción serena y definitiva. Y el querer morirse no era en su boca queja ni reclamo de compasión, era el deseo de estar en un lugar donde el sufrimiento no fuera posible. Imbécil, lo insultó Tristán en silencio. Tano bruto. Que le hablara de la vida, se enojó, no de la cobardía de dejarse ir. Y se preparó (él, ¡que no era poeta!), para hablarle de la responsabilidad hacia la vida, de la belleza del despertar cada mañana bajo la luz del sol, y las felicidades imprevisibles que nos depara transcurrir bajo esa luz, sin contar la de la luna que podía acreditar idénticas posibilidades. Pero algo hacía que no encontrara su voz.

Soy una nada en medio de la nada, suspiró Giacomino casi inaudiblemente. ¿Soy yo nada?, se preguntó Tristán agraviado. ¿Era nada lo que Giacomino había escrito? Y si era nada para los otros, había dedicado mucho tiempo a esa nada para no concederle algún valor. Y estaba el pájaro, que quizás había sido el que graznara roncamente en la calle. Está bien que un pájaro no podía tomarse demasiado en cuenta, ¿pero no experimentaba, él, la más profunda admiración por Giacomino? ¿No lo seguía con una discreción extrema, atento a recoger sus palabras, como si las entendiera con sus oídos de pájaro, su cabeza de pájaro? ¿No estaban esos dos de Córdoba, el muchacho que hablaba poco y la chica con cara de ucraniana, que nunca lo olvidarían? Y además, si ahora el resto lo ignoraba, ¿quién podría negar que en el futuro no le levantarían monumentos? Alguien incluso podría llegarse hasta la odiosa de su madre y exclamar, besándole el ruedo de la falda, ¡bendito el vientre que lo ha concebido! Hasta eso podría suceder. Y si no se convencía, tano bruto, él le contaría el poder que guardaban esas hojas sobre la cama, que no sólo transfiguraban la noche. Lo miró largamente, siempre en silencio, mientras su argumentación perdía consistencia sin quererlo. El cuerpo de Giacomino era un despojo frágil y transpirado. No había conocido la felicidad, o la había conocido tan brevemente que no le había dejado sabor ni recuerdo venturoso que lo rescatara en la desdicha del presente, y quería morir. Giacomino, Giacomuccio. Le secó el sudor de las sienes, de las mejillas. ¿Quién podía reprochárselo? ¿Con qué derecho?, se preguntó Tristán, que siempre había sufrido pegado a la tierra, o a algo que lo sostenía. Quién podía exigirle que viviera si la muerte significaba descanso, un asilo clemente. Y Tristán volvió a aquella charla, cuando había comparado dolores ante la muerte del bebé en el incendio, ¿por qué los dejé solos?, decía el padre, y frente a la realidad concreta donde la muerte era castigo de pobre, le había negado a Giacomino el derecho de sufrir *más*. Pero ahora reconoció que Giacomino había sufrido infinitamente, tal vez más que los otros, desposeídos, porque no era sólo su alma la que sufría por sus deseos o pérdidas, sufrían sus ojos, sus músculos, las uñas de sus pies y el vello ralo que le crecía en las piernas. Cada gotita de transpiración que le enjugaba expresaba un dolor, no sólo suyo sino del mundo, las plantitas del jardín, la finitud, la patética condición de los seres, destinados a pasar sin dejar huella. ¿Cómo alguien entonces podía pedirle que viviera? Quién podía hablarle banalmente de lo que hace estimable la vida, minucias ante tanto dolor. Había sufrido demasiado.

Tristán suspiró intensamente, trató de tranquilizarse. Trajo una silla cerca de la cama. Giacomino no cesaba de mirarlo, en muda súplica. ¿Qué le pedía? Quiero morirme, repitió, con un tono cotidiano, como si se refiriera a que quería dormir reservándose el derecho de despertar, la voz serena. Tristán sonrió, el corazón desgarrado. Lo comprendo, dijo finalmente, la voz igualmente serena, y acarició la mano de Giacomino, la apretó entre las suyas para que Giacomino pudiera cumplir en amistad y compañía su deseo.

14 de junio

Se alegró de nuestra llegada, nos sonrió; y bien que con voz tanto más débil e interrumpida que de costumbre, discutió dulcemente con Manello (el médico) de su mal nervioso, de su certeza de poder mitigarlo con la alimentación, del aburrimiento que le provocaba la leche de burra, de los milagros de las excursiones y que ahora quería levantarse para ir a la ciudad. Pero Manello, llevándome aparte hábilmente, me aconsejó que enviara de inmediato por un cura, que de otra manera no habría tiempo. Y yo, de inmediato, mandé por el cura, e insistí y volví a insistir ante el cercano convento de los agustinos descalzos.

En esta situación, Leopardi; los míos lo rodeaban, Paolina (Ranieri) le sostenía la cabeza y le enjugaba el sudor que le caía a gotitas de la amplísima frente, y yo, viéndolo suspendido de un cierto infausto y tenebroso estupor, tentaba de reanimarlo con los hálitos excitantes de esta o de aquella esencia espirituosa; abiertos más que de costumbre los ojos, me miró con más fijeza que nunca. Luego: no te veo más, me dice como suspirando.

Y cesó de respirar; ni el pulso ni el corazón le latían; y entró en ese momento preciso el hermano Felice de Sant'Agostino agustiniano descalzo; mientras yo, como fuera de mí, llamaba en voz alta a mi amigo, y hermano y padre, que ya no me respondía, aunque todavía parecía que me mirase.

Antonio Ranieri

Llovía y el cuarto estaba casi a oscuras, esa lobreguez aumentaba la desazón de Tristán que apenas si distinguía el contorno de los muebles. Giacomo no había querido que encendiera la luz, ni siquiera la mínima sobre el respaldo de la cama. Le provocaba vahídos, punzantes fulguraciones de dolor en las sienes. A primera hora de la mañana, Tristán había ido a buscar al médico de la sala de primeros auxilios, porque si bien compartía el deseo de Giacomino de morirse, quería que lo hiciera dulcemente y sin sufrir demasiado. El trance auguraba complicaciones: una pierna desmesuradamente hinchada, los vahídos, la respiración asmática, una transpiración copiosa. Todo tenía que resultar más fácil, pensaba Tristán, y la ciencia ayudaría, ¿o no? Precavidamente, el médico había preguntado si vivían en el barrio de los negros, porque ahí no entraba: ese barrio pertenecía a otra jurisdicción, nadie sabía cuál con tantas vueltas de muros. Apareció a la tarde y revisó a Giacomo concienzudamente bajo la luz encendida, lo auscultó sosteniéndolo con ayuda de Tristán, a quien mostraba de manera subrepticia una expresión desalentada. Bien, ¿cómo se siente?, ¿un poco flojo?, preguntó, y Giacomino, en lugar de callar lo evidente, con voz débil e interrumpida por el jadeo de su respiración dificultosa, habló de sus nervios que toda la vida le habían dado guerra. Nunca los había vencido. Tristán los dejó un momento porque había oído que alguien golpeaba en la puerta de calle. Atravesó el patio corriendo bajo la lluvia y encontró a una pareja en el umbral, los dos bastante húmedos, aunque la mujer llevaba un chal en la cabeza y se protegía con algo que más parecía una sombrilla estival que un paraguas. Advirtió que estaban vestidos con telas ligeras de verano, la mujer de oscuro, el hombre de blanco, aunque hacía frío y diluviaba. Qué tiempo en junio, dijo ella sacudiendo el chal al amparo del techito de la puerta. Qué tiempo, es junio, invierno, rectificó Tristán, convencido de que esos dos, por ocultas razones, se habían equivocado de estación. Antonio, se presentó el hombre, destocándose, soy el mejor amigo de Giacomo. Era alto y de expresión franca, pero a Tristán eso de mejor amigo no le cayó bien. ¿Y ella quién era? Antes de oírla, lo supo por una especie de dichosa intuición. Paolina, dijo ella, acomodándose el chal sobre los hombros. ¡La hermana!, exclamó Tristán y pensó en lo contento que se pondría Giacomino y lo triste que se pondría ella al ver su aspecto. Ya no era posible arreglar a Giacomino, mejorarlo con algún subterfugio. Al cruzar el patio, ella se subió ligeramente la falda descubriendo unas botitas negras abotonadas hasta el tobillo. Era flaca y fea, y en esto y en el dibujo prominente de la nariz, se asemejaba a Giacomino, que tampoco se destacaba por la belleza. Pero también ella, como Giacomino, albergaba una dulzura secreta, un poco triste, que si uno tenía suficiente paciencia para descubrirla, podía hacer olvidar la fealdad. A la segunda mirada, Tristán la encontró hermosa. Giacomino interrumpió la charla con el médico y sonrió al verlos, sin revelar sorpresa alguna, como si fuera corriente que esas visitas entraran en el cuarto, que Paolina, después de tantas cartas, hubiera localizado el mundo que ni siquiera había oído nombrar, y el punto preciso, dentro de ese mundo, que era esa pieza desvalida. Tristán arrimó dos sillas a uno de los costados de la cama y ella, a pesar de su natural afable, no lo agradeció ni atendió tampoco la invitación de Tristán que les ofrecía reconfortarse con un té caliente; no tenía ojos más que para Giacomino, a quien aferraba de la mano y que discutía con el médico; porfiaba Giacomino que comidas sólidas le curarían los nervios, no la dieta de caldos, purés ligeros, compotas, que el médico por no quedarse en silencio, le aconsejaba. Tristán pensó que Giacomino desvariaba porque con esa voz que era un hilito decía que estaba aburrido de beber leche de burra, y lo afirmaba con tal seguridad y repentino aborrecimiento que Tristán se precipitó hacia la heladera y la abrió para observar el envase de la leche. No estaba escrito vaca ahí, pero tampoco burra. Y lo que había en la Argentina, y sobraban, eran vacas, no burras. Con el aliento cada vez más corto, las interrupciones más frecuentes, Giacomino sostenía que las excursiones provocaban milagros en su salud, una caminata al aire libre, y que quería vestirse para dar una vuelta por el barrio.

Espere, espere, le aconsejó el médico con indulgencia, mañana tal vez, y se apartó de Giacomino para dirigir una mirada escrutadora a quienes estaban en el cuarto, desechó sin hesitación a Paolina y apenas si le llevó un segundo más obviar a Tristán. ¿Por qué no a mí?, se preguntó él, muerto de celos porque observó cómo llamaba aparte al hombre de traje blanco, de barba y bigote espesos, que se había presentado adjudicándose el título de mejor amigo de Giacomo. ¡Soy yo!, ¡soy yo!, clamó Tristán en absoluta mudez porque lo que más importa o duele no puede gritarse así como así. En el aparte, el médico estrechaba la mano del otro, que mostraba signos de emoción profunda; debía ser un médico come velas, dedujo Tristán, porque oyó que lo urgía a buscar rápidamente a un sacerdote. El amigo se puso pálido, casi ceroso en la superficie de la cara que le dejaban libre los pelos, se le afilaron los rasgos como si agonizara; asintió hacia el médico y luego, con un alzamiento de cejas y un gesto disimulado pero terminante, le hizo señas a Tristán de que lo acompañara a un extremo todavía más alejado del cuarto. En ese rincón, recostado contra la pared, ordenó: Vaya al convento, busque a un sacerdote. ¿Qué convento?, preguntó Tristán. El de los agustinos descalzos. ¿Qué agustinos? ¿Qué descalzos? Aquí hay sólo una iglesia de mala muerte. ¡Vaya inmediatamente a pedir un sacerdote! No hay tiempo que perder, lo conminó el extraño como si fuera dueño de casa, con furia temblorosa, los ojos llenos de lágrimas. Tristán lanzó una mirada a Giacomino, y le pareció que la respiración se le interrumpía por momentos. ¿Por qué tenía tanto apuro el otro si Giacomino dispondría de la eternidad para arreglar sus cuentas? La urgencia se le antojó mezquina. En el tiempo que le quedaba aquí, Giacomino era ateo. No cree, dijo. Paolina lo perforó con la mirada. ¡Vaya a buscarlo!, gritó sin alzar el volumen de la voz, un grito sólo por la intensidad de la angustia, tan perentorio como un golpe. Tristán se encogió de hombros y corrió hacia la iglesia que estaba cerrada. A sus puñetazos contra la puerta, acudió una mujer de la casa vecina. Ella prometió firmemente, porque la muerte intimida, que se encargaría de la gestión, y que incluso, si el cura se demoraba, iría a buscarlo; debía estar en el café o jugando al fútbol con los negritos en el potrero barroso después de la lluvia.

Cuando Tristán regresó, Paolina sostenía la cabeza de Giacomino y le enjugaba el sudor de la frente, que caía gota a gota. Antonio, el amigo, a quien Giacomino miraba con fijeza, los ojos más abiertos que de costumbre, le daba de beber una cucharada de un líquido espeso que vertía de una botellita oscura. Tristán la olió subrepticiamente cuando la dejó sobre la mesita de luz, olía a dulce, un poco a alcohol, como un elixir antiguo. No produjo mucho efecto en Giacomino, había otra expresión en él, de infausto y tenebroso estupor. Morir como nacer no es fácil. Resulta incomprensible. Aquí estoy, dijo Tristán, y se puso en foco para que Giacomino lo mirara. Después de todo, sólo a él le había confesado su deseo, él le había apretado la mano entre las suyas y pasada la conmoción inicial, había oído sin espanto, compartiendo un deseo que esos dos, bien lo veía, nunca serían capaces de comprender. Para ellos la vida, y por lo tanto la muerte, era otro asunto. Necesitaban un intermediario. ¿Y para qué? Si tanto para una como para la otra, no había sustituciones de alma ni de cuerpo, ni mensajeros que cargaran en sus espaldas las culpas o bondades. Sólo valía el gesto de la compañía y la pena, que esos dos no consideraban suficiente. Qué decía Giacomino, dirigiéndose a ese amigo, de su juventud sería, de quien no apartaba los ojos, y que borraba a Tristán como si nunca hubiera existido. Ni siquiera la hermana contaba, afeada doblemente por el rostro contraído de dolor. Ella había aceptado la clausura y la servidumbre mientras Giacomino probaba su fuerza de hombre, había escrito tantas cartas, lo amaba tanto como para intuir ese lugar del mundo que ni siquiera había oído nombrar y amasado valor para emprender el largo viaje, y Giacomino, en esos últimos instantes, no la miraba. Sólo para el amigo dilecto tenía ojos, abiertos más grandes que de costumbre, fijos en él. Qué cosas de la vida habían compartido, conversaciones inteligentes, pesadumbres contadas con recato y pudor, proyectos y exaltaciones que Tristán no imaginaba. Sólo para él tenía ojos. No te veré nunca más, dijo Giacomino como suspirando, y dejó de respirar, inmóvil el pulso, silencioso el corazón. En ese momento justo entró el cura, que era grasoso, pero de rostro abierto, ojos dulces. Qué lástima, comentó con voz triste. Llegué tarde. Paolina cayó de rodillas, ocultó el rostro contra las manos frágiles que por fin no se agitaban para expresar desazón, romper collares, pocillos, rajar platitos...

Fuera de control, exaltado, Antonio llamaba a Giacomino a los gritos, ¡Giacomo!, ¡Giacomo!, y era como si llamara a un amigo, a un hermano, a un padre que ya no le respondía, aunque siguiera mirándolo. Aun muerto, lo miraba a él y no a Tristán que había compartido su deseo.

Acostarse temprano no le rendía. Se agitaba después del primer sueño, profundo y breve. El sueño, en esta segunda etapa, no era ya lecho reparador de cansancio, interrupción dichosa del trajinar, sino campo de batalla donde el día se prolongaba en ecos, desazones, fatiga, aunque a veces, milagrosamente, la batalla no sucedía, era campo de victoria sin sangre ni duelo. Tristán pronunció la frase en esa segunda etapa del sueño que, a diferencia de otras noches, era milagrosa e inesperadamente tranquila; estaba de pie en el borde mismo de la laguna, y no la miraba perdido como en la muerte de N'Bom. Sus pies no pisaban cascotes entre el barro sino arena, la laguna era verdadero mar, océano de otra época, de limpia, límpida salinidad y corrientes. Lanzó la frase al mar y la oyó dormido, sonando nítida como si surgiera de una boca fresca y despierta. *Dulce y clara es la noche, y sin viento...*

¿Qué le quería hacer recordar la frase, esa hermosura? ¿Con qué mundo quería atarlo? Se despertó brevemente y volvió a dormirse. Vio en el sueño el cuadro de una mujer con el niño, era la Virgen con Jesús, era la madre con su niño, cualquier madre, cualquier niño. Ella vestía un ropaje de terciopelo carmesí y el niño estaba desnudo, sosteniendo una manzana en la mano. Detrás se extendía hasta el infinito un paisaje de cielo entre gris y cerúleo, pinos de verde oscuro sobre suaves colinas. Tristán, que nunca había pisado un museo ni tenido un libro de láminas entre las manos, vio el cuadro en la pared descascarada frente a su cama, y el cuadro estaba cargado de serenidad y belleza, hacía comprensible el pasado, soportable el presente, venturoso el futuro. No era posible la indignación. Se despertó con un sobresalto y se sentó en la cama. Encendió la luz. Enfrentó la pared irrevocablemente desnuda, el revoque saltado. La pieza le pareció un desierto. Miró hacia la ventana sabiendo que el pájaro no estaría pegado a ella, las alas abiertas, el pico tocando el vidrio, e incluso le pesó esta ausencia. Durante la agonía de Giacomino el pájaro no se había mostrado, convencido de que su presencia no confortaría a Giacomino, e ignoraremos siempre lo que hubiera dado para que no fuera así, cómo hubiera deseado reanimar a Giacomino con el abanico de sus alas o dejando caer en su boca entreabierta miga de pan embebida en leche, la más tierna lombriz. En cambio, había permanecido inmóvil en la repisa del alero, la cabeza enterrada en el buche, sin probar agua ni grano. Después de la muerte, Tristán encontró una notita sobre la tierra de la maceta. El pájaro había quitado una planta de malvones, había alisado la tierra ablandada por la lluvia, y luego escrito con los signos de sus patas: Estoy muy triste, me vuelvo a Córdoba. Los signos, a pesar de la rudeza de las uñas, eran delicados, como los que dibuja una gaviota en la arena junto al mar. Sin borrar el mensaje, Tristán había levantado el malvón y lo había plantado nuevamente. Había hecho bien en marcharse, pensaba Tristán, abandonando esa casa de corto alero en la que ya no vería pasar a la figura de levita y sombrero de felpa. Ninguna de sus palabras podría tener el peso de las de Giacomino que exploraban todos los misterios entre la luz y la oscuridad, un espacio que también le pertenecía, sólo que él estaba mudo para expresarlo. Contempló con tristeza la cama que había ocupado Giacomino, el colchón doblado en dos. Lo extendió, puso sábanas y mantas para atenuar su lóbrego mensaje; encendió la lamparita del respaldo. De su lugar bajo la cama sacó la caja de cartón donde Giacomino guardaba sus papeles, el cuaderno de tapas duras color verde seco que había traído de su tierra, las cartas de Paolina. Llevó la caja a la mesa y corrió la mesa hacia la ventana, como si deseara estar cerca en el amanecer del primer canto del gallo silvestre o del ruido de las cigarras de verano. Buscó piolines por todos los cajones y anudó los trozos hasta formar una tira sólida y resistente que le permitiera atar la caja de cartón que Antonio, el barbudo mejor amigo de Giacomo, recogería en la mañana. Era lo primero que le había pedido, en una visita de agradecimiento y despedida después del entierro, los papeles de Giacomino. ¿Usted no los quiere?, preguntó Tristán a Paolina considerando que ella, por vínculos sanguíneos, tenía mayores derechos. Mi hermano se encargará, dijo ella, señalando a Antonio. Entonces Tristán se dio cuenta de que había equivocado los parentescos, abrió la boca estupefacto. ¿No es la hermana de Giacomino? No, dijo ella, y él vio que, salvo la nariz prominente, no se le parecía en nada, era una mujer común sin ninguna secreta dulzura. ¿Puedo llevarlos?, preguntó Antonio, y ante ese rostro inteligente, estragado por la pena, Tristán no había podido negarse. Él, que no había leído más que el diario, y no siempre, ¿para qué los querría? Qué destino podría darles sino la clausura o el manoseo ocasional. Avaricia de deudo, ni siquiera reconocido. Mañana, dijo, sin saber por qué.

Pasó el piolín debajo de la caja, llevó los extremos hacia arriba y estaba a punto de anudarlos cuando una última curiosidad lo asaltó. No tocó las cartas de Paolina, que tanto había deseado leer, ni el cuaderno de tapas verdes. Sólo sacó los papeles y al removerlos rozó en el fondo de la caja el collar de Giacomino, cuyo peso había llegado a resultarle insoportable. Él, que había roto tantas cosas, lo había guardado intacto, y Tristán se lo pasó por la cabeza, considerando que no se había comprometido a entregar el collar; esos dos, Antonio y su hermana, que también se llamaba Paolina, despreciarían el alambre finito, las semillas; nunca sabrían lo que significaba. Los papeles sobre la mesa, Tristán los contempló largo rato, acariciando las semillas del collar. Quizás algún poema dijera qué duro es el mal sin reparo, cómo es intenso el dolor cuando la esperanza está ausente, algo por el estilo, consideraciones generales, y después se abocara directamente a los problemas, se apiadara de las penas miserables, rectificara la vida de los desharrapados, como la de los negros por ejemplo, cada día más tristes y resentidos ante ese mundo que los despreciaba. Quizá los papeles de Giacomino pondrían las cosas en su lugar, y los negros serían vigorosos y alegres como nunca habían sido, ni siquiera en el terruño natal. Y los indios con sus tatuajes extraños no seguirían agarrándose pestes con sus rituales en el río ni desterrados a parajes de puro viento, sin árboles, sino poderosos e inmortales. E incluso sus mujeres serían distintas; la mujer del tren, de mirar sumiso, con su nenita sobre la falda, sería una diosa con miles de brazos y manos para sostener firmemente sus propios deseos; ya no la descuidaría el hombre con los faldones de la camisa afuera; capaz de moverse, arrojaría sus sueños de una mano a otra, de sus miles de manos a sus miles de manos, para que fracasaran algunos, cuajaran en una realidad menos ensombrecida los restantes. Quizás, y esto Tristán lo ambicionó más que ninguna otra cosa, con la intensidad de quien busca que cese un dolor, cierre una herida, algún poema hablara de una muchacha con los senos desnudos, orgullosa de su pelo crespo, de su piel negrísima, bailando a la luz de una hoguera en una noche dulce y quieta, y sería N'Bom... Abrió la ventana y entró una brisa fría. Colocó la mano abierta sobre el montón de papeles como formulando una invocación, súplica o ruego, la apartó y acercó los ojos. En la primera hoja sobre el montón estaba escrito: *Dolce e chiara è la notte e senza vento.*

Y debajo, con la misma letra patas de mosca de Giacomino, seguía: *E queta sovra i tetti e in mezzo agli orti...*

¿Qué? ¿Qué leía? No lo que había esperado; después de esa primera frase el resto sólo podía prometer ventura. En cambio, Giacomino no prometía ni transfiguraba nada, se perdía en devaneos descriptivos, en nostalgias de cómo todo el mundo pasa, y casi huellas no deja, hablaba de que había huido el día festivo, y al día festivo el día vulgar sucede, y se lo lleva el tiempo. Que lo hiciera bien, a Tristán lo tenía sin cuidado. Incrédulo, leyó el poema del principio al fin, con una clarividencia absoluta que no tropezaba con ningún sentido de la lengua extraña. Lo invadió la desilusión. Giacomino no hablaba de los tugurios que cambiaría en casas habitables, no hablaba de un mundo armonioso, fuera de la intemperie y el desamparo. Hablaba de la luna, ¡con esto perdía tiempo Giacomino!, ¡de esto se ocupaba!, de una mujer amada que dormía tranquila en su cuarto sin pensar en él y lo dejaba en llanto, y del día de fiesta, de la luna lejana sobre los techos de las casas y los huertos, pero desatendía los detalles, no especificaba calidad de casas ni tamaño ni provecho de los huertos, que podían ser como los ínfimos que cultivaban los negros para paliar la escasez. La luz de la luna revelaba las montañas, ¡vaya descubrimiento el de Giacomino! No había montañas de este lado, ¡no hay, Giacomino!, gritó furiosamente, y estaba dispuesto a que no las hubiera si no cambiaba el desamparo. No cambiaba: las montañas que había oído nombrar no eran serenas como las de Giacomino sino inclementes, volcánicas, arrojaban cenizas que volvían estériles los campos, enlodaban los ríos, enceguecían a las ovejas y las cargaban con una gordura árida, de polvo gris, que les impedía moverse. Montañas de devastación.

El aire se aligeraba dentro de la pieza y sintió frío, pero no cerró la ventana. *Dulce y clara es la noche, y sin viento...* Te permitimos recordar, le pareció oír una voz que no era la de Giacomino sino la de alguien interesado que le concedía un sorbo de agua para que no muriera de sed. Y Tristán dijo no. Toda belleza en este mundo debía ser cancelada. Toda belleza se le antojaba hipocresía. Le tembló el papel entre las manos.

Dolce e chiara è la notte e senza vento...

Ay, ¿sin viento? Se levantaba tormenta. Soplaba, el viento, alzando remolinos de tierra y hojas secas, papeles mordisqueados por las lauchas. Si la gente no comía, se preguntó Tristán, de dónde salía tanta basura, tantas bolsitas de plástico, blancas, celestes, como la bandera flotando al viento. *Dulce y clara es la noche, y sin viento*, repitió Tristán, sin saber que un endeble en otro siglo, en un cuarto sin candil, o quizás en un tarde con la ventana abierta al ruido de las cigarras de verano, la había pensado para él. Para nadie y todo el mundo. La había seguido escribiendo, en geografías distintas, en un tiempo sin fin.

Dolce e chiara è la notte e senza vento,
E queta sovra i tetti e in mezzo agli orti
Posa la luna, e di lontan rivela...

¿Qué revelaba la luna? La de Giacomino, dulce y quieta sobre el papel, revelaba montañas. La luna que veía Tristán, suspendida en un cielo neblinoso, tenía un pedazo recortado porque ya pegaba la vuelta hacia el menguante, era blanca y su luz lechosa. Iluminaba apenas el terreno llano, lo que había sido verde, salvaje llanura, persistiendo invisible, yerma, bajo las casas, o agradeciendo el respiro de las calles sin asfalto cuyo polvo agitaba la tormenta. Montañas, dijo Tristán, y el acento de escarnio se le transformó en añoranza. Olió la tierra en el aire, tragó con gusto a tierra mientras sentía que el nudo de su furia se desataba, pero no para traerle rencores, un odio cansino o desaparecer en la resignación.

Dolce e chiara è la notte e senza vento,
E queta sovra i tetti e in mezzo agli orti
Posa la luna, e di lontan rivela
Serena ogni montagna...

Así es, dijo, y con cuidado depositó la hoja sobre el montón.

...O donna mia,
Già tace ogni sentiero, e pei balconi
Rara traluce la notturna lampa...

Así es, murmuró Tristán, como si hubiera llegado a una conclusión inevitable, la de la belleza que debía aceptar contra su voluntad. La belleza existía porque había existido Giacomino que había deseado morir. Que había escrito esas líneas incapaces de modificar el mundo. Ya las podía repetir sin esperanzas, nada cambiaría, salvo en su corazón que no se resignaba. Pensó en tomar unos mates para quitarse el gusto a tierra, calentarse el estómago que le cantaba con ruidos vulgares de vacío en esa hora de la madrugada. Apagó la luz antes de ir a la cocina. Con el rostro melancólico, se demoró mirando hacia afuera la noche enturbiada por el viento, sin esperar ver más de lo que ya había visto, el remolino de papeles y hojas secas, las bolsitas de basura y el paisaje habitual, y allá, distantes, fuera de los límites del suburbio dormido, más lejos de las chozas de los negros, de los muros, de los tugurios y de la infelicidad, iluminadas por la luna, sobre la línea misma del horizonte se alzaban, serenas, las montañas.

Los datos y citas de Giacomo y Paolina Leopardi fueron tomados de:

I canti e prose scelte, a cargo de Francesco Flora, Mondadori, 1952;
Canti, introducción y notas de Franco Brioschi, Rizzoli, 1974;
Pensieri, introducción y notas de Saverio Orlando, Rizzoli, 1988;
La sorella de Giacomo Leopardi, Carlo Pascal, Fratelli Treves Editori, 1921.

Los dos poemas de Alejandra Pizarnik pertenecen a su libro *Textos de sombra y últimos poemas*, Sudamericana, 1982.

Esta edición
se terminó de imprimir en
Cosmos Offset S.R.L.
Coronel García 444, Avellaneda,
en el mes de agosto de 1994.